afgeschreven

EEN LEVEN ALS EEN LIED

Belinda Meuldijk

WILLEKE ALBERTI

Een leven als een lied

Uitgegeven door Xander Uitgevers BV
Hamerstraat 3, 1021 JT Amsterdam

www.xanderuitgevers.nl

Omslagontwerp en binnenwerk: Studio Marlies Visser
Omslagbeeld: Roy Beusker
Auteursfoto: Roy Beusker

© 2014 Belinda Meuldijk en Xander Uitgevers BV, Amsterdam

Eerste druk 2015
Derde druk 2015

ISBN 978 94 0160 359 1 | NUR 660

WILLETJE

Haar huis is er zo een waar je altijd naar terug wilt.

Ik rij erheen door donkergroene lanen waar de stoepen nog van gras zijn, en waar glooiende velden omzoomd door oude bomen als een geluiddemper op het geraas van het alledaagse leven liggen – de A1 naar Amsterdam is vlakbij.

Haar huis is een sprookje in pasteltinten. Zoiets maak je alleen met heel veel liefde en een ijzeren wilskracht. Als ik binnenstap, lijkt het of alle bloemen uit de tuin met me mee zijn gelopen en aan de muur zijn getransformeerd tot kleurige foto's van kinderen, kleinkinderen, vrienden, familieleden, levend of inmiddels dood, en toch weer verder levend. Ze kijken me allemaal aan en ik wil ze een hand geven of in elk geval hun aanwezigheid erkennen. Het huis is nooit leeg, dankzij hen. Het is het huis van één grote familie.

In de keuken staan pannen te pruttelen en gaan kastjes open en dicht. Iedere keer zijn er andere handen bezig, van vriendinnen, tantes of van haarzelf. Er is altijd plaats aan de eettafel voor nog een stoel. Ik ga zitten en verwacht dat zij, in haar leven onderweg van favoriet buurmeisje naar favoriete oma, nu wel tot rust zal zijn gekomen en, starend over de hortensia's met haar poezen en hondje naast zich, haar verhaal kan vertellen.

Maar nee, ze vliegt binnen als een stralend zonnetje en ik moet rennen om haar bij te houden.

'Ik heb zo'n hekel aan Facebook, met al die oude foto's van mij die ze erop zetten. Ik ben niet tóén, ik ben nu, hier! Ik ben bezig!' Om het te bewijzen rinkelen drie mobieltjes tegelijk met aanvragen voor optredens, items in talkshows, fotoshoots, decorbesprekingen, repetitiedagen, nieuwe tournees, en vriendelijk maar beslist hoor ik haar zeggen: 'Er zitten maar vierentwintig uur in mijn dag.'

Willetje, werd ze vroeger genoemd. Want ze weet precies wat ze wil, en ze heeft het talent om de juiste mensen om zich heen te verzamelen om dat te bereiken. Er zijn er zeker drie onafgebroken in haar huis aanwezig. Feitelijk is het geen huis maar een produc-

tiekantoor, een ontzettend gezellige raketbasis, waarvandaan haar
ster stralende wordt gehouden.

De kern van haar leven is niets anders dan haar passie, voor
zingen, voor haar lied. Het lied dat haar overal doorheen heeft
gesleept, het lied dat haar nooit in de steek heeft gelaten. Het lied
dat, net als een glimlach, alleen maar om een liefdevolle reactie
vraagt. Hoe leg ik uit wie zij is, die dat lied zingt?

Waar moet ik beginnen? Wie haar naam zegt – Willeke Alberti – heeft
er direct een beeld bij. Iedereen kent haar, weet wie ze is. Willeke
Alberti? O ja, natuurlijk, 'Spiegelbeeld', Willy Alberti, 'Morgen ben
ik de bruid', *De Kleine Waarheid*, zangeres, Amsterdam, leuk mens,
raar mens, blije doos, koningin-moeder der homo's, had die niet
iets met..., heel vaak getrouwd, drie kinderen van drie mannen,
'Telkens weer', Johnny de Mol, trut, 'een kwartje als je 'm d'r af
schudt', 'Carolientje', rare jurk songfestival, manisch positief,
actrice, Marleen, *Rooie Sien*, isdatnietdemoedervan, *Ali B op volle
toeren*, keihard, zoete liedjes, braaf, musicalster, neejuisthele-
maalnietbraaf, Gouden Harp, Edison, gehandicapten, foundation,
zingt ze nog? Ja? Nee? Nou ja: Willeke Alberti dus.

Het is het lot van alle Lang Bekende Nederlanders: je naam wordt
sneller ingevuld dan een winkelkarretje tijdens de hamsterweken.
Iedereen pakt datgene wat hen persoonlijk het meest aanspreekt.
En dat is natuurlijk niet alleen het beste, want dat wordt algauw
saai. Van opkijken naar sterren krijg je alleen maar een knik in je
nek. Weinig mensen kunnen zich vereenzelvigen met de kwaliteit
van een stem, of vinden de discipline van een zangeres belangrijker dan het aantal keer dat ze getrouwd is geweest.

Het winkelwagentje moet vooral gevuld worden met dingen
waardoor je kunt zeggen: 'Zie je wel: ook maar een mens. Wat
een doos. Nee, dat had ík toch beter gedaan.' Dat is een gedachte
die voldoening geeft. 'Wat een warme, zonnige meid', dat zeggen
alleen je echte fans, en je moeder, toch? Daarmee moet je het je
hele leven doen, met die paar goeie woorden. Maar met een paar
goeie woorden doe je vrijwel ieder mens tekort. Ieder mens, elk
gezicht, heeft een gelaagdheid, als bij een klassiek olieverfschil-

derij, waardoor een portret tot stand komt. Daarbij moeten geen vooroordelen, roddels of overdreven adoratie in de weg lopen. Voor een helder beeld moet je niet op de lens spugen.

Willeke is al veel langer een LBN'er dan haar meeste collega's. Van haar zeventig jaar staat ze er al tachtig op het podium, bij wijze van. En nog steeds. Er wordt een jubileum voorbereid, het hoeveelste is dat wel niet?
Afgezien daarvan is ze te zien in musicals, in tv-programma's, neemt ze nieuwe cd's op, ontwikkelt ze zich nog steeds. Een trein die nooit lang heeft stilgestaan op welk perron dan ook. En elke keer weer een nieuwe generatie erbij, die dan weer opnieuw moet worden ingelicht wie die vrouw is, naar wie ze gaan kijken in het theater. Dus laten we iets dichter bij haar komen, omwille van een meer feitelijke beeldvorming:

Willeke Alberti, geboren op 3 februari 1945 als Willy Albertina Verbrugge, aan het uiterst scherpe randje van de oorlog, de Hongerwinter, in Amsterdam. Moeder was Ria Kuiper en vader was Carel Verbrugge, beter bekend als Willy Alberti, geliefd en beroemd acteur en zanger van Nederlandse en Italiaanse liederen: 'Tenore Napolitano.'
In 1958 zong ze haar eerste plaatje met hem, het toepasselijke 'Zeg pappie, ik wilde u vragen'.
Vijf jaar later, in 1963, kwam haar eerste grote hit en gouden plaat 'Spiegelbeeld'.

SPIEGELBEELD

Spiegelbeeld vertel eens even
Ben ik heus zo oud als jij
Is het waar, ben ik twintig
Is m'n tienertijd voorbij?
'k Ben wel jong, maar ik ben toch

*Niet zo jong meer als ik was
'k Ging zo graag nog een keertje
Terug naar de klas...*

Spiegelbeeld vertel eens even

En daar blijf ik steken. Want na dit prachtige, ontroerende levenslied volgen de feiten die je op Wikipedia ook kunt vinden. Dat ze Ridder in de Orde van Oranje-Nassau is en de meest succesvolle zangeres van Nederland, winnares van een Gouden Harp en Televizier-Ring, actrice, filmster, en bovenal moeder van drie prachtige kinderen en oma van tot nu toe vier kleinkinderen (en ze hoopt op nog meer), dat kan ik allemaal wel ergens lezen, als ik wil.

Het is haar spiegelbeeld dat mij boeit. Wie ziet zij in de spiegel? Hoe ziet Willeke Willeke? En hoe ziet de wereld eruit door haar ogen?

Dus ik kijk mee, over haar schouder in de spiegel.
Wie zichzelf in de ogen kijkt, kijkt in de ziel. In het diepst van haar eigen wezen, in de bodem waaruit alles is opgebouwd.

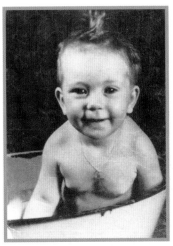

Je kijkt in de spiegel en je ziet niet alleen wie je bent, maar ook wie je was. Omdat iedere herinnering een spoor heeft achtergelaten. Als je geluk hebt zijn er veel lachrimpels aan de oppervlakte. Maar je huid is de oude niet meer: al je cellen zijn iedere zeven jaar vervangen door nieuwe, die nergens van weten. De enige kast waarin alles ligt opgeslagen, daar kijk je nu naar, via je ogen. Spiegelbeeld, vertel eens even...

We noemen haar Willetje

DE DRIE EERSTE HERINNERINGEN

'Ik was drie. Het was 1948 en mijn opa was net overleden. Mijn opa en oma van moederskant, Martin en Bina, woonden in Arnhem en ik was er heel vaak. Wandelend aan opa's hand. Hij noemde mij altijd "Krummeltje". We waren in zijn huis, hij lag daar opgebaard in de serre.

Ik zie mezelf daar nog staan, alsof het gisteren was: een heel klein meissie. Ik had een soort verlatingsangst. De grote mensen keken over mij heen. Ze zagen me niet, omdat ik zo klein was, en ze zagen ook niet hoe groot mijn verdriet om mijn opa was. Mijn moeder was gek op haar vader, een echt vaderskindje, zoals zo veel meisjes dat zijn en ik dat later ook zou worden. Zij heeft zelfs in een rusthuis gelegen na haar vaders dood, om het te verwerken. Iedereen was zo vol verdriet, maar niemand zag het mijne.

Dat is altijd zo, dat doen heel veel grote mensen. Ze denken: ach, die kleintjes snappen er toch niets van. Maar net zoals beesten alles snappen, snappen en voelen kinderen ook alles. Dat gevoel van verlating, die angst om niet begrepen te worden, is later keer op keer in mijn leven teruggekomen. Het is als een soort cirkel die je moet doorbreken. Ik moet daar iets mee, iets van leren, zodat ik het los kan laten. Maar ik herken het omdat ik het toen, als driejarige, voor het eerst had.

Ik zat in de coulissen van theater Carré, in het donker op een stoel, kijkend naar mijn vader in het licht. Ik mocht altijd mee naar

Krummeltje naar de matinee

de matinee. Mijn vader zong liedjes als "Ik zing dit lied voor jou alleen" en "Wilde orchidee". Hij was zeventien, weet je, toen hij mij maakte. Achttien jaar toen ik geboren werd.

Mijn moeder was naar Amsterdam gekomen om zangeres te worden, om ontdekt te worden. In plaats daarvan trouwde ze met hem. Ze was vijf jaar ouder dan hij. Ik zie haar nog staan, geleund tegen de schuifdeur met een hand tegen haar hoofd, theatraal zingend: "... in das blaues Himmelbett".

Maar de toekomstdromen die ze over zichzelf had gehad waren voorbij en al haar energie, haar hele leven lang, zette ze in dienst van mijn vaders carrière. Ze was de motor van ons gezinnetje. Zij was het die alles bij elkaar hield, zij had de kracht. Dat wist ik toen nog niet, toen ik klein was. Ik besefte alleen dat mijn ouders dol waren op elkaar en dol op mij.'

IK ZING DIT LIED VOOR JOU ALLEEN

Ik zing dit lied voor jou alleen
Opdat je mij begrijpen zal
Ik zing dit lied voor jou alleen
Voor niemand dan voor jou
De sterren flonkeren aan de lucht
De nacht is wonderlijk, zo stil
Een zwoele wind waait als een zucht
Het is of de wereld rusten wil
Dit is het moment dat ik iets zeggen moet
Alleen bestemd voor jou
Ik hoop alleen dat jij hetzelfde doet
Ik zal nooit anders dan gelukkig zijn met jou

'Ik werd geboren in een artiestenpension aan de Amstel, schuin tegenover Carré. Het tegenwoordige theater was gebouwd in 1887 als een circus van steen, door de rondtrekkende familie Carré, die een paardenact had. Een paleis was het, met brede toegangen, prachtige trappen en een rond toneel, een piste. In de loop der tijd heeft Oscar Carré aan zijn circus een tweede leven gegeven als variététheater. Revue, toneel, alles was daar mogelijk.

Ik vond het heerlijk om mee te gaan als mijn vader optrad. Ik zat opzij van het toneel tussen de gordijnen en genoot van de muziek en de lichtjes, de mensen. Wat ik leuk vond pakte ik op en deed ik na. Zo was ik stapelgek op Mieke Bos, van de Selvera's. En ik

mocht de stokjes aangeven aan Diana en Duranti, die een xylo-
foonnummer hadden. Ik wist hoe ik applaus in ontvangst moest
nemen, had geen enkele last van zenuwen. Een buiging maken
voor het publiek, met zo'n grote strik in m'n lange haar. Ik was
toen al dol op theater.

Natuurlijk trad mijn vader overal op: de terrassen van het Leidse-
plein en het Rembrandtplein, het Palace op het Thorbeckeplein,
het Asta Theater aan de Rozengracht. Maar ik herinner me vooral
de houten vloeren en de hoge fluwelen gordijnen van Carré*, waar
ik als klein meisje tussen stond. Ik kan de paarden nog ruiken. Ik
sta nog steeds graag in de coulissen te kijken naar mijn collega's.
Ik zie álles, en ik geniet.'

* Indien gij het grootsche gebouw aan den Amstel binnentreedt,
besterft het woord 'paardenspel' u op de lippen [...]. Het is een
paleis, dat u door zijne afmetingen niet alleen, maar door zijne
inrichting aan iets vorstelijks doet denken. Breede toegangen,
gemakkelijke trappen, fraaie koffiekamers en foyers – en dan de
hoofdzaak: eene kleurrijk gedecoreerde zaal, imposant door hare
wijdte en hoogte. *Nieuwe Rotterdamsche Courant, 3 december 1887*

ALS EEN WILDE ORCHIDEE

Je bent als een wilde orchidee
die niets dan de zonzijde ziet
Je brak vele harten en ook dat van mij
je liefde en trouw waren spoedig voorbij
Je bent als een wilde orchidee
die slechts van bewondering leeft
Toch komen de tijden dat men je gaat mijden
Weet dan dat nog één om je geeft...

'Ik was een ontzettend blij kind'

'Ik was een ontzettend blij kind, ik huppelde overal heen. Eerst van
de Lijnbaansgracht naar de Laurierstraat, "de Lauwelierstraat",
waar oma Fietje en opa Ko, de ouders van mijn vader, woonden.
We trokken bij ze in: een piepklein bovenhuisje met een steile
trap, een plee zonder bril, een minuscuul keukentje en een slaap-
hokje met drie bedden boven elkaar, waar we soms met z'n zessen
sliepen, omdat de hele familie altijd welkom was.
In de huiskamer stond het enige meubel dat van waarde was:
de pick-up. Een prachtig meubel met glazen deurtjes, en daar
draaiden opa en oma trots de platen op van mijn vader en oom

Johnny Jordaan. Opa had een café in de Lange Niezel, waar hij zelf de beste klant was. Als hij aangeschoten thuiskwam, dan riep hij tegen oma: "Fietje, hijs me de trap 's op, ik heb 't veels te druk gehad!", waardoor wij nog steeds als we iemand zien die dronken is, zeggen: "Dié heeft 't druk gehad!"

Na de Laurierstraat gingen we naar de Jekerstraat, met twee kamers, waar in 1950 mijn broertje Tonny werd geboren. Daarna van mijn zesde tot m'n zeventiende naar de Vechtstraat nummer 18, het leukste adres in Amsterdam, waar ik de mooiste herinneringen aan heb.

Je wordt je op die leeftijd als kind bewust van alles om je heen, je leven begint echt. In de Jekerstraat had ik nog bij m'n ouders in bed geslapen, mijn broertjes wieg ernaast, maar nu kreeg ik m'n eigen kamertje dat ik zelf mocht schoonhouden en waar het natuurlijk meestal een enorme rotzooi was.

Het was daar, in de Vechtstraat, dat het met de carrière van mijn vader steeds beter ging. Als hij 's nachts thuiskwam van een van zijn schnabbels, zat-ie opeens op de rand van mijn bed en zong een van zijn liedjes. Soms viel ik dan weer in slaap en voelde iets korrelig en warms op mijn wang: een kroket, die hij op de terugweg bij Van Dobben voor me gekocht had. Het was een geweldig gevoel,

Op de Vondelschool. Willeke op de tweede rij van onderen, derde van rechts

als je zo arm geweest bent als hij, om dan geld op zak te hebben en midden in de nacht een paar kroketten uit de muur te kunnen trekken!

Ik zat op de Vondelschool, van mijnheer Van der Mel, en ik weet nog precies welke juffen en meesters ik gehad heb. Leren vond ik leuk en helemaal niet moeilijk, en toen ik in de eerste klas zat en mijn vader een half jaar naar Wuppertal in Duitsland moest om op te treden, kreeg ik van juffrouw Streegstra gewoon de schoolboeken mee en zat ik in de artiestenpensions in Wuppertal en Düsseldorf zoet mijn huiswerk te maken. Toen ik terugkwam kreeg ik van de juf twee repen chocola omdat ik alles zo goed gemaakt had.'

Broer Tonny's eerste herinneringen komen uit het huis in de Vechtstraat: 'Een huis met een grote veranda aan de achterkant, en we hadden ieder een eigen slaapkamertje. Behalve als Johnny Kraaijkamp door mijn vader werd opgevangen, als-ie een *cool down*-periode nodig had. Dan sliep hij in mijn bed en ik weer bij Willeke op de kamer. Dan gingen we "acrobaten" in bed: tilde zij me op en ging ik op haar handen staan. Ik moet een jaar of vijf geweest zijn. Mijn vader had een Revox thuis, zo'n heel grote bandrecorder was dat. Willeke ging dan, als mijn vader gere- peteerd had, meezingen met de banden. Ikzelf zong dan niet, maar ik vertelde verhaaltjes in die microfoon. Ik heb die bandjes nog: deurtje open, deurtje dicht en dan hoor je Willeke zingen. En dan ging ze altijd dansen, en "modeshow lopen". Ze had dan van die grote hoeden op van m'n moeder, een hoepelrok aan en een stola om. En ik schminkte mij dan en was Charlie Chaplin.'

Het zusje zingt een liedje voor haar broertje Tonny

Willeke herinnert zich de ambitie en het doorzettingsvermogen van haar beide ouders: 'Mijn moeder had gestudeerd, die had een boekwinkel op de Heiligeweg, en ook mijn vader vond onderwijs heel belangrijk. Hij was heel leergierig, heeft zichzelf gecultiveerd, schrijflessen genomen, schriften volgeschreven om een mooi handschrift te krijgen. Hij was wat dat betreft heel anders dan zijn neef, Jantje van Musscher, de latere Johnny Jordaan. Mijn vader sprak ook heel goed Nederlands, had geen Amsterdams accent meer, zoals Johnny.

Maar ze waren wel twee gabbertjes, als bloedbroeders zo close. Johnny Jordaans vader en mijn vaders moeder waren broer en zus. En mijn vaders vader was een broer van de moeder van Johnny. Snap je het nog? Ze hadden dus dezelfde grootouders, hetzelfde bloed, en dat kun je ook zien: ze lijken op elkaar.

Ze zongen in hun jeugd al samen, op straat en in cafés. Johnny meestal de tweede stem. Maar ze hadden uiteraard ook ieder hun eigen repertoire. Johnny werkte als zingende kelner in café de Kuil totdat hij in 1955 door platenmaatschappij Bovema ontdekt werd, als "beste stem van de Jordaan".

Hij mocht een single opnemen en dat werd, op de B-kant, "Bij ons in de Jordaan". Een groot succes waardoor hij in één klap beroemd werd.

Ik was gek op de liedjes van Johnny Jordaan, ik kon ze allemaal meezingen. Ze raakten me, zijn teksten, zijn stem, alles. Ik vond mijn vader ook geweldig, maar dat zat te dichtbij. In het begin zong ik geen liedjes van hem, maar van Johnny. En dat doe ik nu nog, in een medley.'

DE AFGEKEURDE WONING

Ik woon op een woning, men noemt het een krot
Maar ik zie geen enkel bewijs
Er staat aan de deur: 'Onbewoonbaar verklaard'
Voor mij blijft 't toch een paleis
Het huis is gebouwd in de zestiende eeuw
Het staat van de ouderdom scheef
Ik ben er geboren, ik ben er getrouwd

Ik woon er zolang als ik leef

Op die afgekeurde woning
In 't hartje van de Jordaan
Daar sleet ik m'n jeugd
Had ik leed, had ik vreugd
In de strijd om een eerlijk bestaan
Maar toch voel ik mij een koning
Ook al vloeit er dikwijls een traan
Op die afgekeurde woning
In 't hart van die ouwe Jordaan

(tekst en muziek: Henvo, Louis Noiret)

Op het huwelijk van Johnny
Jordaan steelt Willeke de show

'Ik herinner me nog precies het moment waarop ik zangeres wilde worden. Dat was toen ik zeven jaar was en stond te kijken naar de feesttent op het plein waar mijn oom Johnny Jordaan met allemaal andere Jordanezen stond te zingen. Ik stond op de rand van dat ronde podium, met mijn tasje onder mijn arm. Vreemd genoeg vond een lieve vriend en collega van me, Arie Cupé, kortgeleden een filmfragment daarvan. Hij draait helemaal niet om mij, die film, en ik herkende mezelf puur bij toeval. Maar ik weet nog precies wat ik dacht terwijl ik daar bij het podium stond. Ik dacht: dat wil ik ook.'

IK HOU VAN JOU MOOI AMSTERDAM

Ik kan uren staan te turen
op de oude Willemsbrug
Denk aan m'n ouwe buren
aan alles weer terug
Waar ik als kind vaak speelde
en deelde lief en leed

Buurt die ik nooit wil missen
en die ik ook nooit vergeet

Ik hou van jou, mooi Amsterdam
waar ik als kind ter wereld kwam
Stad met je mooie grachten
jij bent steeds in mijn gedachten
En als ik denk aan de Jordaan
zie ik die oude Wester staan
Dan heb ik ooit nooit berouw
dat ik van Mokum hou

'De moeder van mijn moeder was oma Bina, een krachtige, prachtige vrouw. "Moeke" noemde mijn vader haar, ze kwam uit een grote Brabantse familie.

Oma Bina en opa Martin, ze hadden een heel groot pension, ze verhuurden kamers. Ze was van goede komaf, had gestudeerd. Die hadden het goed. Ze woonden in Arnhem aan het spoor. Ik denk er nog altijd aan als we met de trein daarheen gaan. Die klaprozen langs het spoor. Ik was er elke vakantie. Later, na de dood van mijn opa Martin, verhuisde ze naar Nijmegen en trouwde met ome Jan. Een huis met kippen en een boomgaard, sperzieboontjes wecken. Het was een feest om erheen te gaan.

Oma Bina had een vaste mop. Ze vertelde altijd dat ze een keer buiten zat te boetseren met poep – ze deed net alsof natuurlijk – met die dikke vingers van haar, toen een politieagent langskwam en vroeg: "Wat ben je aan het maken?"

"Een postbode."

"O, geen politieagent?"

"Nee," antwoordde oma Bina, "want ik heb geen stront genoeg."

En daar moesten wij zo ontzettend om lachen. Toen ome Jan na jaren overleed, kwam oma Bina geregeld naar Amsterdam. Uiteindelijk kwam ze boven de platenzaak van mijn vader wonen.

We gingen op donderdagavond, tijdens de avondverkoop, altijd bij haar eten. Van die lekkere hardgebakken karbonaadjes... speklappen... Ze kon zo lekker koken.'

HET ARTIESTENLEVEN

Hoe was het artiestenleven in Amsterdam eigenlijk, in de jaren na
de oorlog? De stad moest nog worden opgebouwd en het onderge-
doken huiscabaret en de revueartiesten, de goeie en de foute die
het overleefd hadden, konden weer openbaar op het podium staan.
Maar was er nog wel een podium? De theaters lagen deels in puin,
maar de noodzaak van amusement was tijdens de oorlog duidelijk
gebleken. Want wie kon lachen voelde zich een gezonder mens, wie
muziek kon maken vergat de ellende.

Nu waren de jaren van onderdrukking voorbij en de remmen
gingen los. De wereld van het variété, waarin Willeke opgroeide,
was als één grote familie. Tante Leen, Wim Sonneveld, Snip en
Snap, Zwarte Riek, The Three Jacksons, iedereen kende iedereen.
Behalve in de cafés, clubhuizen, restaurants en op de pleinen
traden ze op in de bioscopen, tussen de natuurfilms door. Al sinds
de tijd van de stomme film, waarbij live muziek moest worden
gemaakt, waren muzikanten deel van de filmvoorstelling geweest.
Een enkele pianist was niet voldoende voor de grote bioscopen.
Daarom was er het Cinema Royal Orkest en waren er 'Bekende
Hollandse Artisten' die tijdens de films de stemmen en de
geluiden van verschillende dieren – koeien, paarden, varkens en
schapen – door luidsprekers in de zaal lieten klinken.

Aan dat alles kwam een einde met de komst van de geluidsfilm
rond 1933. Maar nog altijd traden conferenciers, zangers en andere
entertainers op in de pauzes en voor en na de films. Zo ook de Club
van 100, waar Willy Alberti toe behoorde, net als de Wama's, Cees
de Lange en Nicky Nobel, een parodist. 'Mannen die van vissen
hielden', zo omschreven ze zichzelf. Vissen was een populaire
bezigheid, en regelmatig voeren ze over de Vinkeveense Plassen
of zaten de artiesten allemaal op een rij aan de waterkant, bij de
Zuwe.

'En wij mochten dan allemaal mee. Ik herinner me nog zo goed
de waterlelies... Een van mijn eerste liedjes, "De natuur", gemaakt
door Harry de Groot, ging daarover.'

DE NATUUR

Ga eens zitten in het gras
Aan de oever van een plas
Kijk naar alles wat daar leeft
De natuur te zeggen heeft
Zie de meeuwen op hun vlucht
In zo'n wonderblauwe lucht
Zie de bloempjes in de wei
De natuur is mooi en blij
Een hengelaar zit turend in zijn boot
En eendjes spelen in een sloot
Een waterhoentje scharrelt tussen 't riet
't Is allemaal schoonheid wat je ziet...

(tekst en muziek: Harry de Groot)

De mannen die van vissen hielden zongen in de bioscopen, maar voor de jonge Willeke was de bioscoop de plek waar zij vooral genoot van de films van Doris Day en Howard Keel. Drie keer per week ging zij naar Cinetol, Rialto, Roxy of Tuschinski. Soms kwam ze er niet in vanwege haar leeftijd – haar moeder deed haar witte sokjes aan en dat verraadde haar. Maar meestal kwam ze er wel in, en Doris Day werd haar grote voorbeeld, met haar imago van het favoriete buurmeisje, haar blonde lokken en haar stralende lach, in *Love Me or Leave Me* en *Day by Day*.
'Een Doris Day was ik niet. Ik was gewoon Willy Verbrugge, zo heette ik op school. Ik was dat spichtige kind met een muizensnoetje, maar ik wist dat ik later filmster wilde worden. Ik heb echt álle films gezien. Met m'n vriendinnen deed ik thuis die dansjes na, van Esther Williams en Doris Day. Ik was hartstikke lenig: goed in gymnastiek, basketbal, handbal en kunstzwemmen in het Heiligewegbad en ik zong de hele dag. Tante Nus, die tegenover ons woonde, zei dat ik mooie tanden had. "Goed poetsen," zei ze. "Want als je zangeres wordt, is dat belangrijk." Tante Nus zat zelf ook in het vak.

Als ik in de coulissen stond en naar mijn vader keek, dan zong
ik zijn liedjes zachtjes mee. Ik hoopte dan dat het iemand op zou
vallen, dat iemand zou zeggen: "Kind, wat een mooie stem heb jij!"
Maar dat gebeurde niet.
Het was op de Albert Cuyp, op een podium voor de winkel van
horlogemaker Bonewit, dat ik voor het eerst optrad. Ik was een
jaar of tien en ik stond daar gewoon te zingen, totaal onbevangen,
zonder enige last van zenuwen.'

MIJN SPROOKJESBOEK

In 't land der sprookjes, zou 'k willen zijn
daar worden dromen waar
In 't land der sprookjes is alles rein
leeft men slechts voor elkaar

Ik heb een heel mooi sprookjesboek
daarmee breng ik vaak uren zoek
Ik lees dan hoe het goede steeds het kwade overwint
Ach, waren alle sprookjes echt
dan was het leven lang niet slecht
Maar wie aan sprookjes nog gelooft
dat is maar een kind

Voor alle mensen, 't zij groot of klein
Heb ik een goede raad
Mochten uw wensen onvervuld zijn
Dan brengen sprookjes baat

Haar witte sokjes verraadden
haar leeftijd altijd

(tekst en muziek: Chris Reumer)

'Na dat optreden op de Albert Cuyp werd ik gevraagd door Lex van
Weren, de orkestleider, om te komen optreden in het City Theater
in de pauze van de film. Net als mijn vader dus. Mijn eerste hono-

Vuilnisbakkie Danny

rarium was een hondje, een vuilnisbakkie. Ik was er ontzettend blij mee, ook al zat-ie vol neten en was-ie aan de poeperij. Hij had zo'n leuk koppie met krulhaar. Ik noemde hem Danny. Hij werd stokoud, en alle hondjes die na hem kwamen heetten ook Danny.' Het eerste duet met haar vader lag onvermijdelijk in het verschiet. 'Zeg pappie, ik wilde u vragen' heette het plaatje, dat Willy Alberti in 1956 met zijn twaalfjarige dochter opnam.

'Het was eigenlijk een grapje, gewoon een liedje dat we samen zongen. Mijn vader wilde helemaal niet dat ik het vak in ging. Ik moest van hem in ieder geval mijn school afmaken, zodat ik een ordentelijk beroep kon kiezen later.'

Dat 'Zeg pappie' geen grote hit werd was dus helemaal niet erg. Maar wat de toekomst betrof, daarover liet de tekst van het liedje geen enkele twijfel bestaan:

ZEG PAPPIE

Zeg pappie, ik wilde u vragen
als ik eenmaal groter zal zijn
zal ik dan als u kunnen zingen
want pappie, dat lijkt me zo fijn

Dan zing ik van vogels en bloemen
de zon in een diepblauwe lucht
de bijtjes die vliegen en zoemen
de leeuwerik, hoog in haar vlucht
Ik kan me niets mooiers bedenken
dan zingend door 't leven te gaan
wat mij ook de toekomst mag schenken
mijn hartje zal zingen voortaan

Zeg pappie, ik wilde u vragen
als ik eenmaal groter zal zijn
zal ik dan als u kunnen zingen
want pappie, dat lijkt me zo fijn

Ja kindje, jij mag ook gaan zingen
wanneer je straks wat ouder bent
dan weet je wat meer van die dingen
omdat je het leven dan kent

Dan zing ik van vogels en bloemen
de zon in een diepblauwe lucht
de bijtjes die vliegen en zoemen
de leeuwerik, hoog in haar vlucht
Ik kan me niets mooiers bedenken
dan zingend door 't leven te gaan
wat mij ook de toekomst mag schenken
mijn hartje zal zingen voortaan

Op haar elfde had Willeke haar eerste tv-optreden in een musical van Tom van Maren. Tom en zijn vrouw Tinie waren goede kennissen van haar vader uit het schnabbelcircuit.

Zij waren er de oorzaak van dat Willeke, aan haar moeders hand, voor het eerst een echte televisiestudio binnen liep. Het was studio Irene, een klein gebouw in Bussum. Die opwindende nieuwe geur van lijm en verf van de decors, de warmte van de grote lampen, de bedrijvigheid van cameramensen en acteurs... Willeke had het gevoel dat ze een sprookje in stapte.

De betovering was compleet toen ze 'tante Hannie' op de wc tegenkwam. De ster stond haar trui in haar rok te doen. Willeke was extatisch. Tante Hannie, de vrolijke omroepster die zo leuk zwaaide naar de mensen thuis, waarop iedereen terugzwaaide en sommige huisvrouwen voortaan voordat de tv aanging hun huiskamer gingen oppoetsen, 'want die tante Hannie ziet je hele boeltje staan'.

Nu mocht Willeke op een strobaal zitten en voor het eerst voelde ze alle ogen, lichten en lenzen, ook die van de enorme televisiecamera's, op zich gericht.

'Goeiedag mijn beste mensen,
u vindt mij zeker wel wat klein
maar een van mijn grote wensen
is zo groot als u te zijn,
en dan doen wat een klein meisje
van haar pa en ma niet mag,
want één zoals ik, zo'n eigenwijsje
hoort van hem de hele dag:
Pietje was je oren
Pietje snuit je neus
Pietje veeg je voeten
Pietje heeft geen keus...
Pietje eet je bord leeg
Pietje slurp toch niet,
Piet 't is kinderbedtijd,
Steeds hetzelfde lied!'

Pietje had geen keus, en Willeke ook niet. Die school die ze
van haar ouders hoe dan ook moest afmaken, was de Aletta
Jacobsschool in de Lekstraat.

'Jammer dat het een meisjesschool was, dat wel. Ik had liever op
een gemengde school gezeten. Maar het daltononderwijs was
geweldig. Ik had niet méér kunnen leren als ik op een gymnasium
had gezeten.

We hadden een soort dolle mina als hoofd, mevrouw Blomkwist,
een echte feministe. Ik was gek op haar, ik hing aan haar lippen. Je
mocht je eigen vakken kiezen, je moest echt creatief zijn.

Ik had al vanaf de lagere school, toen ik meeging met mijn vader
naar Duitsland, geleerd om uit al mijn boeken zelf te leren. Dus als
ik maandag huiswerk meekreeg, had ik het dinsdag al af. Dan was
ik zo vrij als een vogeltje, en had ik tijd om op te treden. Dat deed
ik dan ook af en toe met het gezelschap van Ab van der Linden
op de Rozengracht, waar ik twintig gulden per avond voor kreeg.
Maar het werd wel steeds moeilijker om dan op maandag weer
gewoon naar school te gaan.

Mijn vader had dat in de gaten, en we sloten een soort zwijgende
overeenkomst: ik mocht mijn optreden doen en genieten van het
applaus, als ik maandag maar weer een gewoon schoolkind kon
zijn.

Mevrouw Blomkwist was het daar natuurlijk niet mee eens.
Bovendien vond ze, nadat ze me eens een klassiek stuk had horen
zingen, dat ik voortaan die "stupide chansons" zoals "Sprookjesboek" niet meer moest doen. "Want een stem zoals die van jou
brengt verplichtingen met zich mee!" Ze meende het echt, dus ik
zei: "Ik zal het aan mijn vader doorgeven."

Toen ik thuiskwam en het vertelde zei mijn vader: "Je doet maar,
maar zet eerst even de aardappels op want ik heb 'n schnabbel in 't
Gulden Vlies en je moeder is naar Nijmegen."

Dat was het einde van mijn klassieke carrière.'

De rooie Bogward, de eerste auto in de straat

DE ENIGE AUTO IN DE STRAAT

'Toen ik acht jaar was en thuiskwam uit school, stond er ineens een prachtige rode auto voor onze deur. Ik dacht dat er een rijke bink op visite was, maar toen ik binnenkwam zaten alleen mijn vader en moeder daar. De auto was van ons. Een rooie Borgward! Ik kreeg een taartje om het te vieren en mocht een ritje maken op de achterbank. Binnen vijf minuten was ik misselijk en lag dat taartje op de pluchen kussens, zodat mijn moeder de boel kon gaan poetsen. We waren de enige familie met een auto in de buurt. Maar als mijn vader naar de Jordaan ging, nam hij altijd gewoon weer de fiets.'

Als Willy er was, was hij er voor honderdtwintig procent

Tonny, Willekes kleine broertje, staat ook op trotse foto's van de Borgward. Een heel klein kleutertje met een brilletje, dat maar net over de rand van het raampje piept. Hij herinnert zich niet zozeer die auto als wel de hand van Willeke waar hij aan liep. Samen eendjes voeren, samen in de tram naar opa en oma, dat soort dingen.

'We liepen samen naar de Vondelschool. Willeke had altijd een hele schare jongens om zich heen. Wat voor haar heel vervelend was: ze mocht alleen maar weg als ze haar broertje meenam. En ik was vijf jaar jonger... Later heb ik nog wel eens gedacht: tjeezus, wat zal ze daar een bloedhekel aan hebben gehad! We gingen naar het De Mirandabad. Daar zaten we de hele zomer. Je had ook van die rekken en ringen en daar hing ze dan in, super-lenig.

Willeke deed veel aan sport. Iedereen keek zijn ogen uit als zij zwaantjes en koprollen maakte. En in de Cityhall, wat nu het City Theater is, gingen we dansen, twisten en rock-'n-rollen. Er zat een heel goed dansorkest van Lex van Weren. Er kwamen daar van die voetballers van Ajax, Rob van Beers, Wim van Kerkwijk, haar eerste vriendjes.

Onder hen was ook Woutje Pelser, die had een oude auto waarmee hij ons naar huis bracht, ik achterin, Willeke voorin. Hij stopte dan op de Amstelkade om de hoek van ons huis, om haar te zoenen. En dan ging ik vooroverleunen zodat ik met m'n hoofd tussen hen in zat, dus dan ging dat zoenen mooi niet door – wat Willeke wel best vond, want daar had ze eigenlijk geen zin in.

We moesten van vader om tien uur thuis zijn, dus als we niet met Woutje naar huis reden, dan moesten we de tram van half tien hebben en dan rennen, want als we te laat waren mochten we de volgende week niet dansen. Zij was vijftien, ik was tien, zat boven aan de rand van het balkon en keek neer op de dansvloer, waar Willeke dan aan het dansen was. Ik kreeg Mars-repen en flesjes fris van de jongens die met haar wilden dansen.

Het is één keer gebeurd dat we de tijd volledig vergeten waren – het was kwart voor tien – en ik naar beneden keek en ineens mijn vader zag staan op de dansvloer! Hij hoefde alleen maar te kijken... en we gingen onmiddellijk met hem mee naar huis. We mochten drie weken niet dansen.'

Tonny was niet alleen vijf jaar jonger, hij was ook 'dat jochie met dat brilletje', want zijn ene oog was lui, daar was in die tijd nog niet zo snel wat aan te doen, en het brilletje was hij bovendien bijna altijd kwijt.

'Een keer waren we aan het schaatsen op de Jaap Edenbaan. Nou ja, Willeke dan, want ik kon amper staan op die dingen.'

In de schaatshal zag Tonny zijn grote zus over het ijs suizen, te midden van een polonaise met tientallen jongeren, en hij besloot ook iets bij te dragen aan de algemene vreugde. Hij kocht voor iedereen een grote zak oliebollen en probeerde daarmee vervolgens in het midden van de kring schaatsers te komen, heel voorzichtig, tussen die keihard schaatsende mensen door. Maar het eind van de sliert jongens kwam tegen hem aan en daar ging de hele zak over het ijs.

'Ik zat helemaal onder, maar goed, ik moest toch weer mee met de bus naar huis daarna.' Tonny lacht, en lijkt opeens meer dan ooit op zijn vader.

'Mijn vader hield van zijn familie, en al was hij er niet vaak vanwege zijn vele schnabbels, áls hij er was, dan was het voor honderdtwintig procent.

Op alle verjaardagen en feestdagen stond er in elke nieuwe agenda: "Geen werk aannemen: zoon jarig" of: "Kerstmis". Want feestdagen waren hem heilig: dan trad hij niet op.

Er werd op alle bruiloften en partijen van onze familie ook altijd gezongen door Johnny Jordaan en mijn vader. We zaten uren spelletjes te doen, te kaarten, monopolyen, alles. En oom Henk, die mijn vader had geholpen bij het ontwikkelen van een net handschrift, speelde Sinterklaas. Zo'n heel lange man was dat. En mijn vader dan zo'n kleine ronde Zwarte Piet.'

Als hij terugkijkt naar het Amsterdam uit zijn jeugd, ziet Jeroen Krabbé nog hoe Willeke over het ijs schaatste. Acteur, kunstschilder, regisseur en levensvriend zou hij

Het jochie met dat brilletje

worden, maar dat alles was toen nog toekomstmuziek, als van een
straatorgel dat je heel in de verte hoort spelen, maar waarvan je
nog niet weet dat het jouw kant op zal komen. Een paar flarden
herinnering zijn de ouverture van hun vriendschap.

'Ze was in wezen mijn buurmeisje. Wij woonden op de Amstelkade en zij om de hoek. Er stond één auto in de Vechtstraat, en dat
was die van Willy Alberti. Dat wist ook iedereen, omdat het een
rijk en beroemd man was. En omdat ook zij in die tijd al beroemd
was wist ik natuurlijk wie zij was, als ik haar bijvoorbeeld zag
schaatsen. Maar dat wij samen touwtjesprongen en dat soort
dingen, nee, dat is later een beetje "verdichtseld": er is een mooi
verhaaltje van gemaakt, om aan te geven dat wij elkaar al zo lang
kennen. De echte vriendschap kwam pas later, toen zowel mijn
vrouw Herma als Alberta - ik noem haar altijd Alberta, ik vind het
zo raar om over "Willeke" te spreken - haar eerste kindje kreeg.'

De roem en rijkdom die Willeke en vader Willy vergaarden,
maakte het nog belangrijker dat ze als gezin goed functioneerden.
Tonny was er trots op toen hij op school niet alleen foto's van zijn
vader kon uitdelen, maar ook van zijn zusje. Zelf zou hij trouwens
ook niet helemaal in de schaduw blijven staan: hij richtte een
bandje op, en had in 1977 verschillende hits zoals 'Ma Michelle'
en 'Candy girl', onder andere in Frankrijk. Terecht stond in de
krant: 'Tonny wordt eindelijk niet meer van de foto geknipt.' Hij
stond nu zelf in het licht. Zijn muziek, pop, Steely Dan-achtig, was
natuurlijk niet precies de smaak van zijn vader, maar Willy kwam
wél kijken en gaf advies. En ook al vond hij zijn zoons haar te lang
– dat vonden alle vaders in die tijd, zelfs als je nota bene nog voor
de foto naar de kapper was geweest – het was wel een echt familie-
feestje nu, van de Alberti-clan. Ook Tonny zong een duet met zijn
vader, waar hij nog altijd heel trots op is.

Maar zijn grote passie lag niet op het podium. Hij was meer de
organisator, de man op de achtergrond.

'Later ben ik achter de schermen gaan werken. Platenproducent,
boekingsmanager, adjunct-directeur bij evenementen. Ik was, zeg
maar, nummer elf op de rol bij Joop van den Ende. Toen ik na vijf-

tien jaar wegging uit Aalsmeer werkten er 2600 man.

De ondersteunende rol in een familie wordt altijd onderschat.'

Tonny heeft het, bescheiden als hij is, niet over zichzelf maar over moeder Ria.

'Als mijn vader bijvoorbeeld twee schnabbels had op een dag, dan lagen er 's morgen twee gestreken overhemden, twee paar gepoetste schoenen en twee nette pakken klaar. En dan was de auto ook nog gewassen. Toen Willeke bekend werd, zorgde ze op dezelfde manier dat alles klaarlag. Zonder mijn moeder had het

Ook al vond Willy het haar van Tonny te lang, een duet zongen ze wel samen

nooit allemaal gekund. Ze was echt de drijvende kracht achter het succes.'

Niet dat dat altijd erkend werd, die poetskracht van moeder Ria. Een keer toen ze de vloer net gedweild had, kwam haar man thuis en gleed uit, schoof van links naar rechts op zijn achterste de kamer door. Willy stond op, haalde de volle vuilnisbak uit de keuken, keerde die om over de schone vloer en zei woedend tegen zijn vrouw: 'Zo! Heb je weer wat te doen!'

Het grote succes, dat zowel Willy's als Willekes naam voorgoed zou vestigen in de Nederlandse muziekwereld, begon eind jaren vijftig al.

In 1959 had Willy Alberti een enorme hit met het nummer 'Marina', waarmee hij als eerste Nederlander tot de Amerikaanse Billboard Top 100 doordrong. Het betekende dat hij, onder druk van het succes, naar Amerika moest om daar het nummer te promoten. Een gigantisch avontuur natuurlijk, maar Willy had een volle agenda in Nederland die moest worden schoongeveegd zodat hij weg kon.

Om naar Amerika te mogen had hij bovendien een pokkenprik nodig. Zonder vaccinatie tegen een aantal ziektes, waaronder de pokken, kwam je er niet in. Maar Willy bleek allergisch en zijn arm zwol op. Willeke weet zich die aanblik nog goed voor de geest te halen.

'Het zag er vreselijk uit. Mijn vaders arm was één grote wond. Hij kon er niet mee optreden en daarom moest ik, vlak voor zijn vertrek naar Amerika, in Zandvoort voor hem invallen. Er stond een Alberti geboekt, en er kwám een Alberti. Maar ik heb wel tegen het publiek gezegd: "Ik kan al zijn liedjes zingen voor u, maar ik ben natuurlijk niet zo goed."'

Niet lang daarna lukte het Willy weer om aan het werk te gaan. Hij vloog met de KLM naar New York en wist dat hij bij terugkomst dezelfde avond nog in Theater Gooiland moest optreden en daarna door moest reizen naar Duitsland.

Vader was nog niet weg of Willeke stapte met een glasplaatopname van een liedje dat ze gezongen had naar de platenmaatschappij waar haar vader ook mee samenwerkte. Dat was het programma-bureau van Phonogram, en de man die haar producer werd daar heette Jack Bulterman. Jack was een ouwe rot in het vak. Hij was trompettist geweest bij The Ramblers en wist hoe je platen van jonge artiesten moest verkopen. Zo had hij The Fouryo's, Ria Valk en The Blue Diamonds aan hun succes geholpen, en Willeke paste uitstekend in zijn stal.

Moeder Ria fluistert Willeke bemoedigende woordjes toe in de
platenstudio

'Mijn moeder vond het prima dat ik het deed. Zij was de grote
stimulator, wat ze ook mijn hele leven is gebleven. Ze kocht mooie
jurkjes waarin ik optrad, ze hielp met mijn haar - ik had zo'n heel
hoog Loek Limburg-kapsel. Ze stond helemaal achter me.
"Let It Be Me" van The Everly Brothers heette in de Nederlandse
versie "Als ik je zie". Het was een nummer van Ruud en Riem van

The Blue Diamonds. Maar ik had natuurlijk nog helemaal niet zo veel repertoire, en als we samen optraden, dan waren zij zo lief om het door mij te laten zingen.'

Het werd Willekes eerste eigen plaat.
Toen Willy Alberti vlak voor Kerstmis terugkwam, was de start van Willekes carrière gemaakt. Ze was nauwelijks veertien toen ze met 'Midi Midinette' in de hitlijsten stond, en nog een jaar later behoorde 'Norman' tot de meest verkochte platen.
Vader legde zich er toen maar bij neer: Willeke was niet meer van richting te veranderen. Samen traden ze op, en hij waakte over haar, beschermde haar tegen de lusten en losbandigheid van de andere artiesten op de bühne.
Dat viel nog niet mee, want die wereld stond nou niet echt bekend om de beheersing van lichamelijke gevoelens of monogamie. Daarbij kwam dat Willy Alberti met zijn 32 jaar zelf nog steeds een heel jonge man was, die als bodyguard niet altijd serieus werd genomen. Willeke vond het fantastisch om zo'n jonge vader te hebben. 'Hij was niet alleen pas achttien toen ik geboren werd, maar hij zag er ook nog eens uit als een heel jonge knul. Na de bevalling liet de vroedvrouw mij aan mijn vader zien met de woorden: "Kijk: hier is je nieuwe zusje."
Hij antwoordde: "Nou, ik ben anders wel de vader hoor." Waarop zij mij bijna liet vallen van verbazing.'

Toen hij terugkwam uit Amerika kreeg Willy Alberti een Edison. Het was ook tot Nederland doorgedrongen dat hun eenvoudige volkszanger in het grote Amerika had opgetreden met Tony Bennett en in de Carnegie Hall had gezongen. De populariteit van vader en dochter schoot omhoog. De familie verhuisde naar een nog mooier huis.
'Na de Vechtstraat verhuisden we in 1960 naar Osdorp, de Colenbranderhof, een schitterend huis met centrale verwarming, marmeren vloeren en een badkamer, een bar en een tuin. Het ging mijn vader voor de wind, en uiteraard gunde ik het mijn ouders zo, na alle zorgen die ze hadden gehad.'

OP TOURNEE MET VADER

Willeke en haar vader gingen naar Nieuw-Guinea om op te treden voor het Nederlandse leger. Het was 1962. Er waren 10.000 militairen uit Nederland naartoe gestuurd als antwoord op een dreigende Indonesische invasie. De soldaten moesten geëntertaind worden, en Willeke, Willy, Mieke Telkamp, Kees Pruis, The Blue Diamonds, Harry Mooten en vele anderen gingen erheen.

Met z'n allen naar Nieuw-Guinea, om liedjes te zingen voor de soldaten

Ze reden door de bush in jeeps met machinegeweren voor, naast en achter zich, geweldig spannend, 'want wie zingt er nou liedjes met levensgevaar? Ik zong liedjes voor de soldaten buiten in de brandende zon, in kantines of barakken en smulde van de hutspot en zuurkool uit de soldatenrantsoenen, want elke dag rijst vond ik maar niets. Vader kreeg karang, een beestje dat in open wonden kruipt en er niet meer uit gaat. Hij heeft er nog vijf jaar last van gehad, het zat in zijn hand en gelukkig niet in zijn oor, zoals bij accordeonist Harry Mooten. Die rende op een keer gillend de bush in. Het was met veel penicilline te genezen'.

Riem en Willeke dansten de hele nacht door

Maar veilig was hun tournee niet, en na een nachtelijk bezoekje van een Papoea met een mes in de hand, werden de artiesten voortaan gehuisvest in de ziekenboeg.

'Toen we daar aankwamen waren The Blue Diamonds er al, en Riem was zo aardig om mijn koffer naar mijn kamer te brengen. Net toen hij hem op mijn bed legde kwam mijn vader ook binnen. "Begint dat gesodemieter nu al!?" vroeg hij kwaad. Maar ik had niets gedaan.'

Vader deed zijn best om haar te beschermen, maar bijna elke man in het gezelschap probeerde haar te versieren. Ze was altijd 'een van de jongens' geweest in de jaren dat ze met haar vader mee op tournee ging en geholpen werd met haar huiswerk door Mieke Telkamp (Duits), Dick Harris (Frans) en The Blue Diamonds

Tussen Ruud en Riem met een hoog Loek Limburg-kapsel

(Engels). 'Riem is altijd een heel lieve goeie vriend gebleven, van
wie ik heel veel hou, zo'n man die door m'n hele leven heen loopt.'
Willy vond – als echte vader – geen enkele man goed genoeg voor
haar.
'De eerste die wel door de beugel kon was Ricardo, een jongen uit
een diplomatengezin, half Spaans, half Zweeds. We ontmoetten
hem toen we in Mallorca op vakantie waren. We zaten in hetzelfde
hotel, lagen naast elkaar op het strand, en ik ging ook wel eens
mee naar zijn kamer... Voor het eerst zat mijn vader er niet
achteraan wat ik wel of niet deed.
Ricardo was vreselijk knap en hoffelijk, hield de deur voor je open,
dat soort dingen. Ik was hartstikke verliefd op hem, maar hij had
te goede manieren. Er kon geen zoen vanaf. Over hem gaat het
nummer "Ricky".'

RICKY

Ricky, Ricky, jij bent nummer één,
Ricky, Ricky, 'k hou van jou alleen
Ricky 'k wacht nu al dagen
Toe maak me blij, vragen staat vrij
Durf je het echt niet te wagen,
Zo'n flinke vent als jij!

'Een jaar later kwam hij naar Nederland en toen wou hij wél wat
met me, maar toen had ik geen zin meer in hem.
Tsja... in het programma *Memories* met Anita Witzier in 2003,
waarin oude liefdes elkaar weer opnieuw ontmoeten, werd ik
uitgenodigd om naar Spanje te komen en stond Ricardo opnieuw
tegenover mij en vertelde vol vuur over zijn verliefdheid van
destijds. En ik was zo ontroerd! Hij had het erover dat ik zijn grote
liefde was en dat hij met me wilde trouwen, en ik dacht: zie je wel,
het bestaat tóch. Maar hij had zijn vrouw bij zich, een Poolse, en
die vond het allemaal prachtig. En wat bleek nou: hij is inmiddels
kunstschilder en had mij gegoogeld, en hij had allemaal schilde-
rijen die hij me wilde verkopen. Op het vliegveld vroeg hij mij of hij
mocht tanken, want hij had geen geld om benzine te kopen...'

Het meisje dat op haar twaalfde al met haar nichtje in de kinderwagen naar de Hema ging om een 'trouwring' voor zichzelf te
kopen, groeide op te midden van een losbandige set.
'Iedereen deed het met iedereen, en ik zag álles. Want ik zat overal
met mijn neus bovenop, en er ontging me niets.'
Ze zag niet alleen het gerommel van de artiesten, maar ook de
reactie daarop van hun vrouwen. Het verdriet, de frustratie, ze
nam het allemaal in zich op.

'Vrijen leek me heerlijk, maar dan wel met één. Als je eenmaal dat
principe in je kop hebt...
Ik werd op mijn veertiende ontzettend verliefd op Peter Post, de
wielrenner. Mijn vader hield enorm van sport, en er kwamen dus

heel wat bekende sporters bij ons over de vloer. Altijd als ik Peter zag, als ik een kopje thee binnen moest brengen, dan rammelde het en dan dacht ik: Aaah, wat ben je toch leuk! Maar Peter was elf jaar ouder en ik ging ervan uit dat hij toch niet naar mij keek. Hij trouwde later met Loekie, en die was even oud als ik. Ik was niet verdrietig, maar ik had wel de kolere in. Dat was mijn eerste echte verliefdheid.

En m'n eerste zoen kreeg ik van Dick van The Fouryo's. The Fouryo's waren twee zusjes en een broer. Dick Nijhof, helaas leeft hij al niet meer. Hij woonde bij mij in de straat.'

ZEG NIET NEE

Zeg niet nee-hee-hee-hee
Zeg niet nee-hee-hee-hee
Als ik vraag om een zoen
Zeg dan niet: nee niet doen, maar zeg ja!

(tekst: Pierre Wijnobel, muziek: Travis Pritchet)

Toen ik de telefoon opnam, wist ik het al: dat ben jij

Let's twist again

'Dat was het grote succes van The Fouryo's. Dick was veel ouder
dan ik, net als Peter Post. Ik woonde aan het begin van de Vechtstraat en Dick aan het einde. Ik kwam er altijd langs als ik naar
school liep, en dan had ik van die vlinders in mijn buik... Hij
zoende me op m'n mond, mijn eerste tongzoen, en ik was helemaal
duizelig. Ik was toen veertien. Ik ben ontzettend braaf geweest. Ik
wilde later ook wel meer, maar... Mijn vader heeft me als een havik
beschermd. Ze noemden mij en mijn vriendin de meisjes met
de betonnen broekjes, maar dat kwam meer door de angst voor
mijn vader dan omdat wij zo kuis waren. En vreemd genoeg komt
het ook door mijn vader dat ik nooit wilde vrijen met getrouwde
mannen, ook al was ik nog zo verliefd.

Ik zei al dat ik álles zag. Alles wat de mensen om mij heen deden.
Mijn vader werd verliefd op de dochter van Willy Rex. Dat heeft
impact gehad op onze familie, en ook op de vriendschap met Willy
Rex. Hij woonde tegenover ons en schreef mijn vaders teksten. Dus
de situatie was verschrikkelijk. Uiteindelijk heeft vader gekozen
voor ons: voor mijn moeder. Maar ik haatte die dochter, ik was zo
ontzettend boos. Ik heb het verdriet van mijn moeder gezien. Ze
heeft er nooit meer een woord over gezegd.'

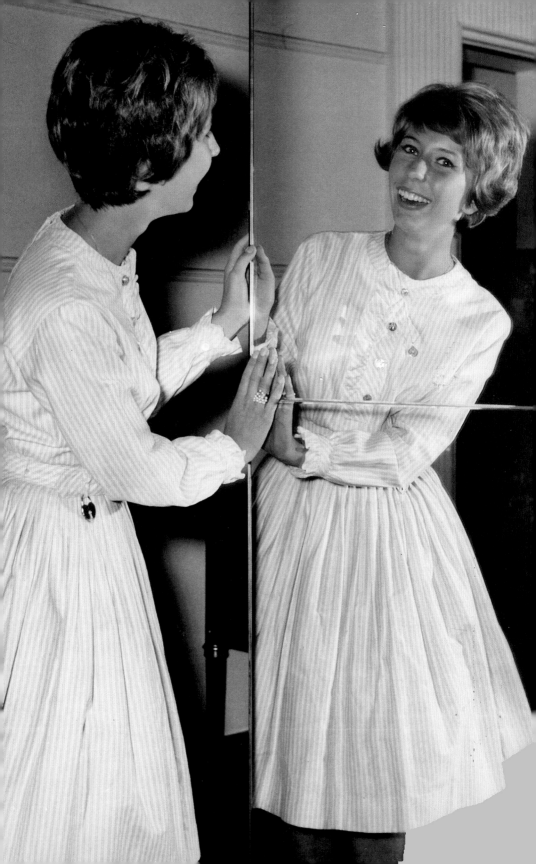

SPIEGELBEELD

In het voorjaar van 1963 hadden Willeke en haar vader een grote hit met het Italiaanse 'Sei rimasta sola' op het Grand Gala du Disque. En diezelfde avond zong Willeke, begeleid door het orkest van Dolf van der Linden, 'Spiegelbeeld'. Het is nog steeds terug te vinden op YouTube. Een piepjonge Willeke, met een loep-zuiver optreden waarin ze nu en dan met de camera flirtend haar beroemde pretlichtjes laat zien.

Die ogen zijn nog altijd net zo stralend, het is die blik van haar die maakt dat ik met dezelfde glimlach tot achter mijn oogballen terug zit te flonkeren. Ze kreeg er toen in twee minuten en tweeënveertig seconden heel Nederland mee plat. Er bestond nog maar één televisiezender, er was niets anders om naar te kijken, en de volgende dag was je dus wereldberoemd.

Er was geen weg terug, en gelukkig maar, want zelfs in die paar minuten 'Spiegelbeeld' zie je iemand staan die op dat podium in dat licht thuishoort als een vis in het water. Ze geniet, ze is er niet meer af te branden. Ze heeft, omdat ze er van jongs af aan al stond, de kinderlijke rijkdom van een zenuwvrij optreden. Even een liedje zingen voor al die lieve mensen in de zaal en u thuis ook op de bank, en dan een buiging voor de dirigent en het orkest, dank u. Nu was ze niet meer 'de dochter van'. Ze was Willeke Alberti, die 'Spiegelbeeld' zong.

SPIEGELBEELD

Spiegelbeeld vertel eens even
Ben ik heus zo oud als jij
Is het waar, ben ik al twintig
Is mijn tienertijd voorbij
'k Ben wel jong maar ik ben toch
niet zo jong meer als ik was
'k ging zo graag nog een keertje
terug naar de klas

Spiegelbeeld 'k kan je haten
Want je geeft geen dag terug
Waarom gaan toch die jaren
Als je jong bent zo vlug
'k Ben wel jong maar
er is toch al zoveel herinnering
Spiegelbeeld uit al die jaren
Vergeet ik geen ding

Spiegelbeeld m'n eerste vriendje
Was een joch zo oud als ik
'k Kreeg van hem m'n eerste zoentje
't Was een heerlijk ogenblik
'k Ben wel jong maar dat
zou ik nog zo graag eens overdoen
Quick quick slow, de eerste dansles
Wat was ik nog groen
'k Heb alleen nog wat foto's
en die zeggen 't me weer
't Is voorbij, m'n eerste baljurk
die draag ik niet meer

(tekst: Gerrit den Braber, muziek: Darrell Edwards)

'Heb je daar nog een foto van?' vraag ik. En ze denkt na, terwijl we onszelf weerspiegeld zien in het grote raam naar haar terras. De zomer die zo warm en zonnig was dat de tuinstoelen en de kussens nog allemaal op haar prachtige gazon liggen, heeft besloten om met een donderend applaus afscheid te nemen. Onweer! De hemel boven Willekes huis is ineens zwart en terwijl ik nog gefascineerd sta te kijken naar ons twee in de spiegeling van de ruit en denk: wat is ze eigenlijk klein van stuk, stuift zij al naar buiten om de bui voor te zijn en de kussens te redden.

We helpen allemaal mee: ik en de twee katten en het hondje Roos, iedereen loopt voor elkaars voeten, struikelend, lachend, grote kussens en kleine kussens grabbelend. Ondertussen regent het pijpenstelen en heeft Willeke min of meer net op tijd alles onder dak. Het vermoeden dat dit iets is wat zij haar hele leven al doet, zorgen dat iedereen en alles voor de bui binnen is, komt bij me op. Helemaal als we de trap op gaan naar de kasten op zolder op zoek naar een spiegelbeeldfoto. Ik bedenk dat dat wel een paar uurtjes zal gaan duren, want zo'n actie betekent meestal stof en spinnenwebben, meubels en dozen, waar had ik het nou, de hele boel omkeren en dan álles vinden behalve die ene foto. Niet bij Willeke. Voor me uit drentelt ze over de zachte tapijten langs alle kamers. Een kruising van de goede heks Glinda uit *The Wizard of Oz* en vrouwtje Plooi van Beatrix Potter, maar dan ook nog eens seks. Ze trekt een laag kastdeurtje open en duikt er in haar geheel in, en ik zit op het bed, terwijl uit die miniopening in de muur het ene na het andere fotoalbum wordt aangereikt. Het verleden bladert om mij heen. Als ik haar achterna ga en op handen en voeten naar de kastdeur kruip, als Alice in Wonderland het konijnenhol in duik, zit zij op haar gemak op de grond, achter in een tien meter lange doorgang naast een keurig, schoon en overzichtelijk archief met honderden plakboeken op alfabetische volgorde. 'Als ik doodga, kunnen ze zo makkelijk pakken wat ze nodig hebben,' zegt ze grijnzend. Dat bedoel ik: als het gaat regenen, is iedereen op tijd bij haar binnen.

De spiegelbeeldfoto vinden we. We vinden er zelfs nog tien meer dan we wisten dat er waren, en als we als tevreden goudzoekers weer naar beneden gaan, vinden we in de oude kamer van haar moeder nog een foto, niet verstopt maar open en bloot op het nachtkastje.

'Als ik over Willeke spreek, dan denk ik alleen maar aan een zonnetje, dat iedereen bestraalt', staat daar in moeders handschrift op te lezen. Die tekst is meer spiegelbeeld dan Willeke wist van haar moeder, die niet zo scheutig was met complimentjes. Ontroering vult haar ogen, zie ik in het glas voor de foto weerspiegeld. Willeke kijkt haar moeder aan. Een knap mens, met een zekere trots in haar ogen. Een vrouw die duidelijk 'de sterke vrouw achter...' was, maar voor deze keer nu eens op de voorgrond staat. 'Ik heb die tekst op die foto nog nooit gelezen,' zegt

Willeke verbaasd. 'Het is dat jij me er nu op wijst.' Vader Willy op de achtergrond, heeft zich ook omgedraaid. 'Zijn ze mooi of niet?' lijkt hij trots te vragen, 'mijn twee meisjes!'

Er moest keihard gewerkt worden in huize Alberti, en daaraan is niets veranderd. Maar zo nu en dan iets aardigs zeggen, dat ging vroeger stroef. Er is een heel verschil of je als dochter nog bij je ouders inwoont, of dat je op eigen benen staat.

Misschien kwam bij Willeke de onafhankelijkheid wel eerder in de vorm van de liedjes die ze zong, dan in haar dagelijks leven.

'Ik was verloofd met Fons Post, jazeker, de jongere broer van de jongen op wie ik jarenlang heimelijk verliefd was: Peter Post de wielrenner. Misschien heb ik nog stiekem gehoopt dat Peter bij het horen van onze verloving van schrik van zijn fiets zou vallen, maar nee, hij won zijn zoveelste zesdaagse en kuste mij, zijn aanstaande schoonzusje, op de wang zoals je een ober een fooi geeft: vriendelijk maar onverschillig. Fons Post – ik heb nog foto's waar ik met hem op het zebrapad sta.' Het waren publiciteitsfoto's voor het liedje dat zij toen zong:

HÉ, NIET ZOENEN OP HET ZEBRAPAD

Hé, niet zoenen op het zebrapad
Je weet dat dat niet gaat
Hier midden in de straat
Hé, niet zoenen op het zebrapad
Dat mag niet, lieve schat

Hé, niet stoppen op het zebrapad
Want als je dat hier doet
Dan gaat het vast niet goed
Nee, niet stoppen op het zebrapad
Het mag beslist niet, schat

(muziek: Jack Bulterman)

Met Fons Post beleefde Willeke haar eerste romantische avonturen

'Het mocht nergens wat mijn vader betrof. Ik was veel te jong en Fons was geen type voor mij. Hij werd al woedend als ik naast hem op de bank zat, hand in hand. "Ik zit met je moeder ook niet in het openbaar te vrijen!" zei hij dan. Fons was streng gelovig en wilde absoluut niet dat zijn aanstaande een carrière had. Een vrouw hoorde in huis, vond hij, achter het aanrecht en niet in het vak. Dus hoewel ik mijn eerste echte vrijpartij met hem had, werd het 'm niet. Nauwelijks was de verloving verbroken of vader vond Fons Post opeens een hartstikke aardige jongen. Maar bij de volgende verloofde, Joop Oonk, stond-ie weer met een alarmpistool op wacht voor de deur van mijn slaapkamer.

Het heeft heel lang geduurd voor mijn vader eraan heeft kunnen wennen dat ik een eigen leven had. We deden natuurlijk veel meer samen dan een normale vader en dochter: we hadden bijvoorbeeld de populaire *Zaterdagavondshow*, eens in de maand op televisie.

Dag mevrouw, dag meneer, eindelijk is het dan weer zaterdagavond

Daar werd de hele maand voor gerepeteerd in onze garage, die papa tot bar had omgebouwd.'

Willy en Willeke waren te gast in de show van Teddy Scholten, toen de regisseur vroeg: 'Willen jullie niet eens een proefuitzending doen?' Het moest een nachtclubachtige setting zijn in een bar. De show werd opgenomen op Ampex, en als er iets echt misging en het moest over, dan kwam er een knip die je later nog duidelijk kon zien.

Iedereen bleef ervoor thuis in die tijd. Driekwart van de Nederlanders zat voor de buis. Er traden gasten op zoals het kindsterretje Sandra Reemer, en de bandparodist André van Duin. Maar ook buitenlandse grootheden zoals Caterina Valente en Dave Berry kwamen langs. De show was vier seizoenen lang op tv, met een kijkdichtheid van 83 procent.

'Het was heerlijk om met mijn vader te werken, om dicht bij hem te zijn. Hij was veel ambitieuzer dan ik. Maar ik kon de teksten beter onthouden. Dan hielp ik hem, met gefluisterde woorden en gebaren. We waren niet alleen vader en dochter, maar ook collega's en vooral maatjes. "Dag mevrouw, dag meneer, ja daar zijn we dan weer: zaterdagavond."

Ik had in 1964 een grote hit met "Mijn dagboek", dat nogal wat overeenkomsten had met mijn verbroken verloving met Fons.'

MIJN DAGBOEK

Ons kleine verhaal dat begon zo goed
Ik had je die maandag voor 't eerst ontmoet
Toen was er nog blijdschap in overvloed
Dat staat in mijn dagboek te lezen

Je gaf me op woensdag de eerste zoen
Ik zei heel beslist 'heus, dat mag je niet doen'
Maar 'k wou hem niet missen, voor geen miljoen
Dat staat in mijn dagboek te lezen

Waarom, ach waarom
Bleef niet alles bestaan
Waarom moesten wij
Uit elkander gaan
Waarom, ach waarom
Is nu alles voorbij
Wat zo mooi was voor jou en voor mij

(muziek: Günter Loose, Karl Gotz en Piet Visser)

Ook de grote Italiaanse hits van vader Alberti zongen ze samen, de 'Tenore Napolitano' en zijn dochter.
Jordaanbewoners waren van oudsher grote liefhebbers van de Italiaanse opera. In Carré kon je in de jaren dertig voor vijftien cent al naar de voorstelling: betaalbaar dus, en heel populair. De aria's werden na een voorstelling in de straten en in de kroegen

nagezongen, maar dan op een eigen, beetje valse toon, lang aangehouden, nasaal en met vibrato.

De teksten gingen over de basisthema's: liefde en dood en het
zware leven, een melodrama dat net zo goed op de Jordanezen als
op de Italianen van toepassing was.

Het levenslied kwam uit diezelfde laag van de bevolking, de arbei-
dersklasse, en was zowel in Portugal – de fado – als in Italië en
Spanje te vinden. Willy Alberti maakte zich de Italiaanse taal
eigen, en Willeke zong met hem mee. 'Quando, quando quando',
'Sei rimasta sola', 'Non costa niente', om er maar een handjevol te
noemen.

Toen kwam in het begin van de jaren zestig
een heel andere muziekstroming overge-
waaid, uit Amerika en Engeland.
The Beatles met 'I Want to Hold Your
Hand', 'Glad All Over' van The Dave Clark
Five, 'Come On' van de Rolling Stones. Het
waren de nieuwe geluiden van een nieuwe
generatie, door de oudjes vaak met afschuw
ontvangen. Die jengelende gitaren, die
keiharde drums, en dan dat lange haar van
die jongens!
Nederland was niet zo Engelstalig als nu, de
teksten werden niet verstaan, dus hadden
we onze eigen idolen. The Blue Diamonds
zongen 'Ramona', Anneke Grönloh 'Bran-
dend zand' en Willeke, die haar Amsterdamse accent had wegge-
poetst bij Rine Geveke, de baas van het programmabureau van
Phonogram, kreeg zoals zovelen de vertalingen van buitenlandse
hits voorgeschoteld.

'Ik deed alles wat ze me opdroegen,' zegt ze.

'Spiegelbeeld' ontstond als volgt: de tekst was eerst een hit van
Johnny Halliday, 'Tes tendres années'. Gerrit den Braber, de tekst-
schrijver en producent, had zich laten inspireren door de oorspronkelijke klanken, net zoals hij ook met 'Ritme van de regen' deed,
voor de nog onbekende Rob de Nijs en de Lords, in datzelfde jaar.

Het was geen slecht idee van Willeke om Bulterman en Geveke, haar producenten, te gehoorzamen. Er waren nog geen managers die de carrière van tieneridolen begeleidden, dus het meeste werk werd door de familie zelf gedaan. Zo hielp moeder Ria met het sorteren van de fanmail – de brieven die alleen een foto met handtekening vroegen, of de diepere die een persoonlijk antwoord nodig hadden, en die Willeke altijd besloot met excuses voor haar lelijke handschrift.

Willekes succes was enorm. Ze reed al snel in haar eigen auto. Stilstaand voor een stoplicht of zwemmend in haar favoriete zwembad

Nadat Willeke een gouden plaat voor 'Spiegelbeeld' kreeg, reed ze al gauw in haar eigen auto

werd ze keer op keer herkend en toegezwaaid. De roem van haar vader was op haar overgeslagen en een eigen leven gaan leiden, en de tijd dat zij als een spichtig kind met een muizenkoppie ongezien en onbekend over straat huppelde lag achter haar.

'Ik ben me er niet zo van bewust, van die bekendheid. Ik ga de deur niet uit zonder een make-upje en zo, maar dat is vrij natuurlijk. En in het buitenland, ben ik dan anders? Vooral Sören viel het op dat

Willeke zat in de jury die Rob de Nijs en de Lords liet winnen op de talentenjacht. Daarna bleven zij altijd goede vrienden

ik zodra we terugkwamen op Schiphol ineens weer veranderde in "Willeke Alberti".'

Een andere ster, bijna net zo lang in het vak als zij, werd
door Willeke ontdekt. Ze zat in de jury van een talentenjacht, in 1962, waarin de Lords optraden, met Rob de Nijs
als zanger.
Jongens met een hoge zijden hoed op en een cape, een act
die braaf en onberispelijk was, zoals vrijwel al het jonge
Nederlandse talent in die tijd. Het was bij wijze van uitzondering dat Rob, toen achttien jaar, had ingestemd om in het
bandje van zijn broer te zingen. Hij zat op de cabaretschool,
en had heel andere toekomstplannen dan zanger worden.
Net als Willeke was hij Amsterdammer, en net als zij had
hij zijn platte accent ingeruild voor Algemeen Beschaafd
Nederlands.
Een keurige jongen dus, in een veel te keurig pak. Maar
vanaf het moment dat de muziek begon, was het duidelijk.

'Ik zag het meteen. Zo'n talent is onmiskenbaar. Je ziet het
en je weet direct: dit wordt een hele grote.'
De prijs van de talentenjacht was een platencontract bij
Phonogram, wat na twee minder bekende plaatjes leidde
tot de megahit 'Ritme van de regen'.
Terwijl Rob met de Lords door het land toerde, had Willeke
haar grote succes met 'Spiegelbeeld' en zo kwamen zij, net
als Trea Dobbs, Ria Valk en Johnny Lion met The Jumping
Jewels, elkaar voortdurend tegen in gezamenlijke shows.
Johnny Lion had met 'Sofietje' een gigantische hit te
pakken. Hij en Rob de Nijs hadden ieder hun eigen fanclub
met felle aanhangers, die niets van de ander moesten
hebben en elkaar de loef afstaken in het verzamelen van
foto's, posters, plaatjes en alles waar ze de hand op wisten
te leggen.
Die rivaliteit betrof alleen hun fans, want achter de
schermen waren Johnny en Rob goede vrienden die meisjes

De eerste zoen met de knappe Joop Oonk bezorgde Willeke
knikkende knieën

met elkaar uitwisselden en populair gezegd 'pik tekortkwamen'
om ze allemaal tevreden te houden.
Willeke, die in de coulissen stond te wachten tot haar aandeel in
het programma begon, liet haar oog vallen op... geen van beiden.
Het was de basgitarist van The Jumping Jewels die haar aandacht
trok, een jongen die ze al eerder ontmoet had, in de tijd dat ze nog
verloofd was met Fons.

Joop Oonk, een blonde god die bekendstond om zijn onvermoei-bare sekslust. Zijn manager zag hun verliefdheid met lede ogen aan en probeerde haar nog te waarschuwen: 'Willeke, lieverd, je bent veel te goed voor die Joop Oonk. Dacht je dat jij de enige was? Hij heeft er in Den Haag wel tien!'

Waarop zij antwoordde: 'Dat weet ik allang, meneer, maar Joop is bezig ze een voor een weg te doen.'

En nu zegt ze, met een zucht: 'Dat deed-ie ook, maar hij had er ook intussen weer tien anderen bij. Als Joop een vrouw een hand gaf, dan zat daar een briefje in met zijn nummer. "Jij bent mijn enige meisje. Hier in Amsterdam heb ik er verder geen een. Maar ik woon in Den Haag," zei hij. Hij was daar heel eerlijk over.

Maar toen heeft Joops vader een lang telefoongesprek over Joops vreemdgaan gehad met mijn vader, waarna hij Joop de toegang tot ons huis verbood. Dat was wel lastig, want als Joop dan gezellig met mijn moeder koffie zat te drinken en mijn vader kwam thuis, moest-ie als de bliksem door de achterdeur weg.'

Het werd een verliefdheid met hindernissen, voornamelijk door de vele keren dat zij tegen de smeulende sporen van zijn vriendin-netjes op liep. Zoals altijd ontging haar niets. Ze zag alles, en het brak haar hart.

'Hij zag het zelf niet als ontrouw. Het was gewoon iets wat hij nu eenmaal deed. Dan had hij me eeuwige trouw gezworen, en dan gingen The Jumping Jewels voor twee maanden op tournee naar Kuala Lumpur en bleek hij het gedaan te hebben met een half Chinese, half Engelse stewardess die hem toch niet veel deed, en een schele, wat-ie in het donker niet gezien had, dat soort verhalen. Ik maakte het uit, maar we konden toch niet zonder elkaar.

In december verloofden we ons en een paar maanden lang waren we het leuke jonge stel, verliefde tienersterren, zoals we beschreven werden in de bladen. "Oonk," zei mijn vader tegen hem, "als je mijn dochter nog één keer verdriet doet, maak ik een vergiet van je." Hij had toen net een pistool van Pistolen Paultje gekocht, dus hij meende het.'

MORGEN BEN IK DE BRUID

Het Knokkefestival dat sinds 1959 in het casino in Vlaanderen gehouden werd, was vijf jaar later uitgegroeid tot een prestigieus platform voor aanstormend talent. Het leek een beetje op het Eurovisiesongfestival, maar in Knokke werd niet één artiest uitgenodigd om deel te nemen aan de strijd, maar werden vier of vijf zangers afgevaardigd. Met miljoenen kijkers was het een prima springplank voor Udo Jürgens geweest, zoals het dat later ook voor Engelbert Humperdinck en Liesbeth List zou worden. Lou van Rees, als befaamde chef d'équipe, koos er in 1964 voor om naast

De vijf jongedames in Knokke, buitelend op het strand in hun charmante pakjes

Rita Hovink, Trea Dobbs, Ilonka Biluska en Shirley Zwerus, ook Willeke Alberti mee te nemen. Een logische keuze, want Willeke was na 'Spiegelbeeld' natuurlijk de grootste topper van de Nederlandse hitparade. 'NEDERLANDSE PLOEG OP NAAR DE FINALE!'

De vijf jongedames gingen naar Knokke en kregen hun persmomentjes in de krant, zittend bij de kapper, buitelend op het strand in hun charmante badpakjes, met en zonder reddingsboei, en Willeke – de lenigste – 'gejonast' op de foto. Vervolgens werden ook nog wat 'geheimen' geopenbaard: de drummer van The Ramblers, Kees Kranenburg, was met Trea Dobbs en de basgitarist van The Jumping Jewels, Joop Oonk dus, met Willeke.
'Hier in Knokke lieten zij aan iedereen zien, dat zij Willeke en Trea toch als de hunne beschouwen.' Dat schreven de kranten, niets dan vrolijkheid, en ze kopten: VIJF JONGE MEISJES PROBEREN KNOKKE ZINGEND TE OVERWINNEN. Maar intussen had Willeke een flinke blaasontsteking en Trea vreemde bubbels in haar buik.
Verder had een van de dames van het groepje aan Joop laten weten dat ze niet begreep wat hij toch zag in die 'trut' Willeke, om vervolgens met hem aan de haal te gaan. Al met al was het niet makkelijk om te slapen, de nacht voor het grote festival, en het was een wonder dat de meisjes het festival de volgende dag glansrijk wonnen. Het was voor het eerst dat Nederland met de beker naar huis mocht, en de kranten stonden er vol van. FEEST IN KNOKKE: 'Lou van Rees liep in zijn witte smoking rond als een koning. Vier maanden had hij aan deze ploeg gewerkt. Vier maanden intensieve voorbereiding met dit resultaat. "Na jaren strijden is het me eindelijk gelukt," zei Lou.'
CHARMANTE PLOEG WON IN KNOKKE! kopten de kranten.
Willeke was er trots op dat ze mét blaasontsteking toch had gewonnen, en met Trea Dobbs zou ze altijd een warme vriendschap houden. Maar dat ze zich geen illusies moest maken over de trouw van haar aanstaande echtgenoot, dat was duidelijk. De reddingsboei waarmee ze poseerde met haar collega's had ze beter mee naar huis kunnen nemen dan de beker.
Toch ging het huwelijk gewoon door.

'Twee dagen voor ons huwelijk zat ik in de show bij Willem Duys, en zong ik "Morgen ben ik de bruid". Ik woonde toen nog bij mijn ouders, en Joop zou mij dus thuis in de Colenbranderhof ophalen om met mij te trouwen: een klassiek plaatje dat we compleet maakten met koetsjes, een gezongen mis in de kerk, klokkengelui, een bruidstaart van vijf etages, en ik in het wit en hij in een slecht zittend jacquet. Een deel van de stad was afgezet voor de duizenden mensen die langs de gracht stonden. In ons rijtuig zaten we naast elkaar, kijkend naar de sneeuwvlokken die op de billen van het paard smolten, lachend en zwaaiend naar de menigte.

Het moest allemaal zo perfect, het moest allemaal kloppen, juist vanwege alle tranen en alle ruzies, alle zwakke momenten. Ik was er net achter dat hij toch weer was vreemdgegaan, en ik durfde het niet eens aan mijn ouders te vertellen.'

MORGEN BEN IK DE BRUID

Dit wordt voor mij de laatste nacht
in het huis waar ik ben grootgebracht
Meisjestijd wat ging je gauw
Ik moet nog wennen aan: mevrouw
Alles zal straks anders zijn
Dit afscheid doet een beetje pijn
Ik weet als ik mijn ogen sluit
morgen ben ik de bruid

Voorbij gaat de tijd
Een vogel vliegt uit
Morgen ben ik de bruid

Dit wordt een slapeloze nacht
in het huis waar ik ben grootgebracht
Vadertje, bedankt hoor schat
Ik heb een fijne jeugd gehad
Moederlief je kijkt me aan

Je lacht, maar ik zie ook een traan
Ik blijf je kind, het maakt niets uit
Morgen ben ik de bruid

(tekst: Gerrit den Braber, muziek: Ad Van der Gein, Ger Rensen, Joop Luiten)

Willeke trouwde met Joop en nu mocht ze zelf mevrouw zijn en haar huis inrichten

'We hadden een hartstochtelijke relatie. We hebben veel en goed gevreeën, zelfs in de auto. Toen zijn we een keer gesnapt, en dat vonden die agenten natuurlijk ontzettend leuk om door te vertellen. Weg keurig spiegelbeeld, weg bravemeisjesimago. Ik merkte dat de namen in Joops kladboekje een voor een werden doorgestreept. Op een gegeven moment dacht ik: nu is-ie helemaal voor mij alleen. Nu zijn we van elkaar.

We woonden sinds ons huwelijk samen. Mijn moeder had het er stiekem toch wel moeilijk mee gehad op de dag dat ik trouwde en het huis voorgoed verliet.

Nu mocht ik zelf mevrouw zijn en ons huis inrichten. We kochten prachtige meubels, in Lodewijk xv-stijl van Poch (een heel duur merk uit die tijd), die toen in de mode waren. Een week later zat er nog geen deukje in: we waren nooit thuis. Ik trad op door het hele land. Joop vond het geweldig dat ik werkte en moedigde me altijd aan. Hij was daarin totaal anders dan mijn andere vriendjes.

Joop had eerst, net als Johnny Lion en Rob de Nijs, een baan gehad bij Circus Boltini. Twee popgroepen in het circus die optraden tussen de tijgers, paarden en clowns door. Het lijkt heel gek, maar Boltini had het goed gezien: zijn tent zat ineens bomvol gillende meiden. Joop was de enige van de jongens die getrouwd was. Zodra ze iets verdiend hadden, kochten ze een Spitfire, een heel snelle auto. Het was een hartstikke leuke groep, een stel jonge honden die volop genoten van alle aandacht en roem. Dus toen Joop een keer belde en zei: "Het wordt iets later, ik ben wat vertraagd", wist ik direct hóé laat. Ik ging naar het circus en hij ontkende dat er iets gebeurd was. Het vervelende was dat ik wilde dat hij het bleef ontkennen, ook al wist ik het zeker. Maar hij gaf al snel toe dat hij inderdaad met een meisje was geweest en ik dacht: die Batelaan heeft gelijk gehad, Joop deugt niet, hij heeft geen enkele wils-kracht. Nu voelt hij zich waardeloos en ik kan dit niet langer aan. We maken elkaar ongelukkig.

Kort daarna ging Joop weg bij The Jumping Jewels en hield de groep op met bestaan, mede door een geweldige ruzie met hun manager, diezelfde Batelaan. Hij wilde al het geld dat ze bij Boltini hadden verdiend.

Joops vertrek uit de band was niet omdat ik hem niet kon vertrouwen als hij bleef optreden: vrouwen versieren bleef hij toch wel doen, wat hij ook deed en waar hij ook werkte. Het was ook zo'n mooie man, hij kon iedereen krijgen. Vreemdgaan was heel normaal in die tijd.

Tot het moment waarop ik dacht: en nu ga ik dat ook doen. En dat vond hij heel raar. Toen werd hij ineens heel panisch, wilde

thuisblijven. Dus moest ik dan voortaan ook maar net doen alsof...
Maar ik had geen zin in die spelletjes. Ik word er doodziek van als
ik vrouwen zie die hun man zo manipuleren. Ik zong "Wie neemt
er mijn plaats in vandaag", en had nog nooit zo eenzaam op de
bühne gestaan.'

WIE NEEMT ER MIJN PLAATS IN VANDAAG

Wie neemt er mijn plaats in vandaag
Dat is wat ik telkens weer vraag
Ik weet, je zegt zo snel: 'Ik hou alleen van jou'
Met wie speel jij dit spel, beloof je eeuwig trouw
Voor wie is je glimlach, voor wie
Bij wie is je hart nu, bij wie
Je zei: 'Ik wil vrij zijn'
En wou niet meer bij mij zijn
Wie neemt er mijn plaats in vandaag

Mijn hart heeft een sprookje bewaard
Ben ik dan jouw liefde niet waard?
Als jij wil vergeten, dan mag ik toch weten:
Wie neemt er mijn plaats in vandaag?

(tekst: T. Murry, B. Davis, Lodewijk Post, pseudoniem voor Gerrit
den Braber, muziek: T. Murry, B. Davis)

'Iedereen die een beetje beroemd was in die tijd, wilde een eigen
boetiek. De winkels schoten als paddenstoelen uit de grond, en
ik opende de mijne, Quai Number One, midden in de stad bij het
City-theater. Dat was vlak bij de Sherry Bodega, waar iedereen
aan het eind van de middag een glaasje ging drinken. Ik vond het
heerlijk om de kleding in te kopen, mode van Friedlander onder
andere, en ik stond iedere dag in mijn boetiekje, maar ik werd
algauw zelf m'n beste klant. Het werk in de winkel en de optre-

dens waren bij elkaar best zwaar. Ik merkte dat ik het rustiger aan moest doen. Niet om iets naars, integendeel: ik was zwanger. Joop was er meteen dolblij mee. Hij zei: "'t Moet een meisje worden, ik ben gek op meisjes, altijd geweest!" Nou, dat kon ik beamen. Terwijl de baby in mij groeide, deed ik de boetiek weg en ik trad niet meer op. Het werd een hele stille tijd, we zaten in ons huis op de Baden Powellweg en we scrabbelden of damden wat. Of we kletsten met mijn vriendinnen en tantes, die allemaal ervaring hadden met het krijgen van kinderen, hoewel ik de eerste was van de hele familie die geen "moetje" had, maar eentje die pas na het huwelijk was verwekt.

Tinie van Maren waarschuwde mij dat je moest oppassen dat je niet doodbloedde na de bevalling. Want dat was een vriendin van haar overkomen. En ik dacht: engerd, zulke verhalen wil ik hele- maal niet horen! Ik wilde alleen maar dat prachtige gevoel vast- houden, dat de baby die je zo puur uit liefde hebt gemaakt, en die zo welkom is, er dan eindelijk aan komt. Daniëlle werd geboren op 11 februari 1968. Een beeldschoon meisje, ons zondagskindje, ze gleed moeiteloos de wereld in. Joop en mijn vader waren allebei aan de broom: allebei flauwgevallen. Mijn vader, die van tevoren had gewaarschuwd: "Denk eraan, ik wil niet dat ze ooit opa tegen mij zegt", hing een uur na de geboorte al boven haar wiegje met zijn sleutelbos te rammelen: "Kijk 's naar opa, kijk 's naar opa!" En Joop was in de zevende hemel. Nadat hij en vader waren bijge- komen, was hij zo trots. Hij is vanaf de eerste minuut een fantasti- sche vader geweest.'

Leven en dood vormen samen een cirkel. Het een gaat soms bijna onopgemerkt over in het ander. De geboorte die zo makkelijk verliep, de blije komst van het nieuwe kindje dat zo volmaakt was: Willeke voelde zich behaaglijk warm en dobberde mee op de eb en vloed van haar lichaam, zonder angst of pijn.

Maar intussen bleef het bloed uit haar stromen. Twee dagen na de bevalling kreeg ze hoge koorts.

'Ik had het eerst zelf niet in de gaten. Ik zag alleen aan Joops gezicht dat ik wakker moest blijven en me niet moest laten gaan.

Hij zei, met dat beetje Haagse accent van hem: "Zeg hé, Wil, wat krijgen we nou? Je hebt een fijne dochter en wat denk je dat er met mij gebeurt, als jij er niet meer bent?"'

Ze verloor meer en meer bloed. De dood, die ze pas over honderd jaar had willen tegenkomen, stond opeens bewegingloos, diep en verleidelijk voor haar.

'Er was iets niet goed gegaan, er was iets blijven zitten. Ik kan het me nu niet meer voorstellen, dat ik de dood zo verleidelijk vond. Ik ben op 't nippertje ontsnapt, voornamelijk doordat ik me herinnerde wat Tinie van Maren had gezegd: *pas op dat je niet doodbloedt na de bevalling*. Opeens herkende ik het: ik had hetzelfde als die vriendin van haar!'

Er volgde een curettage en veel nieuw bloed. Na een week konden moeder en kind het Prinsengrachtziekenhuis zonder koorts of problemen verlaten.

Thuis in bed, nog nauwelijks bijgekomen van alles, kreeg ze Corry Brokken aan de telefoon met het dringende verzoek om in haar tv-show te komen optreden. Corry had een amusementsprogramma waar miljoenen mensen naar keken, en naast Conny Stuart, Seth Gaaikema en Henk Elsink, wilde ze dolgraag Willeke hebben. Na het derde telefoontje besloot Willeke om te gaan, en zo stond ze even later als kersverse moeder met een microfoon onder haar neus in de studio. In *De Telegraaf* zei ze: 'Ik ben er lange tijd niet geweest omdat ik een baby verwachtte.' En trots liet ze aan Conny Stuart de foto van haar kind zien. In de show zingt Willeke weer voor het eerst sinds de geboorte van haar dochter. 'En eind maart ga ik weer optreden,' zei ze.

Barrie Stevens, een jonge Engelse danser die in 1962 naar Nederland was gekomen om bij de Snip en Snap Revue te dansen en nu bij *De Corry Brokken Show* in het ballet zat, maakte Willeke voor het eerst 'live' mee. Hij is het nooit vergeten:
'Ze had een theatrale wijsheid, deed vanzelf mee met de dansers. Ze zong een nummer met allemaal jongensnamen, "Norman", het was heel duidelijk dat ze het heel leuk vond om te dansen, en dat straalde ze ook uit.'

Dus danste hij met haar. En werden ze de nieuwe Ginger Rogers en Fred Astaire? Barrie lacht. 'Nee, was het maar waar. Het was zo'n ballet met veel pauwenveren en een grote trap, zoals in Amerikaanse shows te zien was, en nee, we hebben niet samen gedanst. Maar natuurlijk heb ik haar later weer ontmoet, toen ik choreograaf en vormgever werd, en als zodanig met haar mocht werken. Tot op heden, eigenlijk, met de musical *De Jantjes*. De speelsheid van toen heeft ze nooit verloren, net als die gedrevenheid om het net zo lang te oefenen tot ze het kón. "Vooral doorgaan" hoefde ik tegen haar nooit te zeggen. Dat deed zij van nature al.'

Het was voor Willeke volkomen normaal dat ze weer zou gaan werken. Dat had ze haar hele leven gedaan, en dus ook nu. Voor Daniëlle zou een kindermeisje worden aangenomen. Hoewel Joop die rol ook prima op zich kon nemen als hij vrij was.
'Daniëlle was een ontzettend lieve baby. Ik denk dat kinderen voelen, meteen al, wanneer ze welkom zijn. Wij hielden zielsveel van haar, nog steeds, en mijn vader was ook vol van zijn nieuwe rol als opa.' De glimlach van een kind was geboren.

DE GLIMLACH VAN EEN KIND

'Jij bent zo wijs', dat zegt een kind
'Jij bent zo grijs', dat zegt een kind
'Jij bent getrouwd', dat zegt een kind
'Jij bent al oud', dat zegt een kind

Dan denk je 'ja, een rimpel meer'
Je wordt al echt een ouwe heer
Maar voor je denkt 'hoe moet dat nou'
Pakt ze je hand en lacht naar jou

De glimlach van een kind doet je beseffen dat je leeft
De glimlach van een kind dat nog een leven voor zich heeft

Dat leven is de moeite waard
Met soms wel wat verdriet, maar met liefde, geluk en plezier
in 't verschiet

(tekst: Gerrit den Braber, muziek: Claude François)

Die glimlach was er niet zomaar een. Daniëlle groeide op tot een dromerig, beeldschoon meisje, dat verder kon kijken en meer kon zien dan alleen de oppervlakte. Geboren in een wereld die behangen is met schone schijn en klatergoud, waar de sterren aan de hemel spotlichten zijn en de maan een ballon, was zij van jongs af aan op zoek naar de echte liefde in ieder mens.
Het was een zoektocht die ook haar moeder fascineerde. Het leek alsof het kind geboren was om diepgang te geven aan het bestaan.

DE KLEINE WAARHEID

Toen Daniëlle nog maar een peuter was werd Willeke gevraagd om de hoofdrol te spelen in *De Kleine Waarheid.* Zo'n rol komt meestal niet zomaar op een dag uit de lucht vallen, maar is het resultaat van die onopgemerkte ogen, als camera's op een kruispunt, die haar 'al langer in gaten hielden'. Het is het lot van onbekende levenslopen die nu en dan parallel lopen, kennelijk zonder enig doel, tot ineens het nut van een ontmoeting duidelijk wordt.
De man wiens ogen Willeke vaker hadden gezien, bijvoorbeeld tijdens de tv-show *Willeke International*, was Willy van Hemert. Het duurde even voor hij, opmerkzaam gemaakt door zijn vrouw, inzag wat hij met het tieneridool van 'Spiegelbeeld' kon doen.

'Ik had een eigen show op tv gekregen, de eerste die in kleur werd uitgezonden in Nederland: *Willeke International.* De show gaf me een kans om niet meer het kindvrouwtje, het eeuwige meissie te laten zien, maar een volwassen vrouw.'
In iedere aflevering zat een andere uitdaging. Zoals een acroba-

popzegels

De piepjonge moeder bungelend aan een paal van vijftien meter boven de grond

tenact waarbij de paal in plaats van de brave vijf meter, die voor amateurs gebruikelijk is, een flink eind verhoogd werd. Daar hing ze, ondersteboven in de nok van een circustent.
'Ik vond het best wel érg hoog,' zegt ze nu, terugkijkend naar wie ze was: een piepjonge moeder bungelend aan een paal van vijftien meter boven de grond.

'Maar het was niet alleen stunten, ik mocht er ook in acteren met de groten uit het vak, zoals met Guus Oster in een fragment uit *Pygmalion*, en met Henk van Ulsen in een scène uit een stuk van Molière.
Die kunst met de grote K, daarvan wist ik dat ze neerkeken op ons, de kleine k'tjes. De argwaan die ik jegens die lui koesterde was

al begonnen in de tijd dat ik een Edison kreeg overhandigd voor mijn elpee met liedjes van vroeger, en Guus Oster mij de prijs gaf en mij "juffrouw" noemde. Ik zei: "Zeg maar Willeke", maar hij herhaalde: "Juffrouw."

Wat hij verder zei heb ik niet meer gehoord. Ik hoorde de discriminatie in zijn stem, terecht of niet. Ik hoorde het jaren later nog, maar alleen als ik mijn Edison afstofte, hoor. En afstoffen doe ik niet zo vaak.

Nu stond ik dus tegenover hem in die scène uit *Pygmalion*, en moest ik mijn mening herzien, want hij hielp me geweldig. Zo goed, dat ik voor het eerst begreep wat het was om echt in de huid van een ander te kruipen. Het kostte me ongelooflijk veel moeite, maar toen ik het eenmaal te pakken had was het heerlijk.'

Het verhaal van *Pygmalion* had niet dichter bij haar eigen persoonlijkheid kunnen liggen. De eenvoudige, plat Amsterdams pratende en brutale Liesje ontmoet professor Higgins, een taalgeleerde en spraakleraar. Hij gaat een weddenschap aan met een vriend, dat het hem zal lukken om van haar een beschaafd sprekende dame te maken, in plaats van het volksmeisje dat ze is.

Willeke had spraak- en ademtechnieklessen genomen, maar de onbevangen brutaliteit die ze zichzelf juist had afgeleerd, moest ze weer terug zien te krijgen om de rol van Liesje te spelen.

'Alles waarvan ik dacht dat het niet mocht, moest ineens weer.' *Pygmalion* was een prachtig toneelstuk, alleen die ene scène al die ze deed in *Willeke International* maakte indruk.

'En daar zag Willy van Hemert mij. Zijn telefoontje kwam precies op het goede moment: op een regenachtige ochtend, toen ik de pest in had omdat mijn amandelen net waren geknipt en ik het gevoel had dat ik een scheermesje had doorgeslikt. Joop was geïrriteerd en Daniëlle was verkouden, de geiser was stuk en mijn jurk was verknald door de stomerij. Kortom, het was de hoogste tijd voor een beetje geluk in m'n leven. Willy zocht iemand om de hoofdrol te spelen in zijn nieuwe tv-serie van zesentwintig delen. Die rol van Marleen had hij geschreven voor Pleuni Touw, maar die kon zich niet voor al die tijd vrijmaken.'

De opnames zouden minstens twee jaar duren. En net op het moment dat ze voor de tv-serie werd benaderd, kwam er ook een voorstel van Wim Sonneveld, om in zijn theatershows te spelen. 'Ja echt, ze kwamen vrijwel tegelijk. Wim Sonneveld deed me een aanbieding bij ons thuis, tijdens de groentesoep. Ik had een hele pan gemaakt en hij vond het ontzettend lekker, en toen vroeg hij of ik bij hem in zijn cabaret wilde. Dus of dat nou door die soep kwam... We zouden ermee in het De La Mar staan. Het was heel verleidelijk. Mijn vader vond dat ik het moest doen, want Sonneveld was een goede vriend van hem. Het zijn altijd die keuzes hè, mijn hele leven lang. Ik koos puur vanuit mijn eigen hart. Wat betreft mijn werk heb ik, als ik terugkijk, altijd de juiste keuzes gemaakt. Nergens spijt van gehad.

Ik ben naar Willy van Hemert gegaan. Wim heeft het mij nooit vergeven, geloof ik. Maar Corrie van Gorp heeft toen die shows met hem gedaan, en ik vond haar een betere keuze. Ik kende haar natuurlijk al bijna mijn hele leven, want haar vader en haar oom zaten bij The Three Jacksons. Ze zat echt op haar plek bij hem.

In je leven kom je op kruispunten. Ik ben mijn intuïtie wel eens kwijt geweest, omdat ik er niet naar luisterde, te veel aan mijn kop had. Maar die is weer helemaal terug, dus ik doe alles volgens mijn gevoel. Zo speel ik, zo zing ik, en zo ben ik. Ik was niet gaan acteren als ik niet op dat gevoel vertrouwde. En dat acteren zat zo in mijn bloed.

Ik had een keer een piepklein rolletje, twee zinnetjes, in een stuk met Lex Goudsmit, Paul Steenbergen en Myra Ward, maar ik moest wel elke dag repeteren en toen had ik al een auto, dus dan reden ze met mij mee. Ik had in die dagen altijd dat opgekamde kapsel, dat hoorde bij mijn image, en het was best moeilijk om dat los te laten en iemand anders te zijn. Ik was ontzettend op mijn imago gesteld, als ik dat nu terugzie op foto's, dan ben ik toch altijd een keurig, braaf, beetje truttig meisje geweest. En eigenlijk ben ik dat ook, denk ik: een beetje truttig. Maar ik ben wel blij dat het nou niet meer hoeft, die krultang. Vanmorgen was ik net onder de douche geweest, m'n haar was nat. Ik zag dat de gemeente takken aan het snoeien was en ik vroeg aan zo'n bomenman of hij bij mij ook wat takken kon weghalen. Hij hoorde ineens aan mijn stem dat ik het was. Dat vind ik dan zo geestig, en ik ben blij dat ik dat weer heb: dat ik zonder een dikke laag make-up mezelf blijf. Dat is eigenlijk sinds mijn moeder er niet meer is. Ik denk dat ik het altijd voor mijn moeder deed: er netjes uitzien. Zij was altijd ontzettend kritisch op mijn uiterlijk.'

De boomtakken die ze nu afzagen, zodat het zonlicht ongefilterd op haar gezicht valt, groeiden hier vijfenveertig jaar geleden ook al. Ze woont in hetzelfde schilderachtige dorp als waar ze voor *De Kleine Waarheid* op auditie moest, bij de grote bekende schrijver en regisseur.

Willy van Hemert had de 23-jarige Willeke bij hem thuis in Blaricum ontboden, waar ze moest bewijzen dat zij de Marleen was die hij zocht voor de serie. Het popzangeresje moest op auditie, en voor het eerst was ze dodelijk nerveus.

Haar tegenspelers waren namen die bekend waren van het grote toneel: Caro van Eyck, Coen Flink, Ton Lensink, John Leddy, Guus Verstraete. Bijna allemaal hadden ze de toneelschool doorlopen en een grote carrière opgebouwd, kunst met de grote K. Ze hadden in stukken van Tjsechov, Shakespeare of Molière gespeeld.

Willeke daarentegen was gewend om op schnabbelavonden het toneel op te lopen, liftallig te grijnzen en met allerlei gebaartjes die 'verliefd', 'dromerig' of 'hip' moesten voorstellen haar liedjes te onderstrepen. De kleine fragmenten uit grote stukken, die ze ooit in *Willeke International* had nagespeeld, leken opeens kinderspel, grappig voor zo'n show, maar meer ook niet.

Nu zat ze bij Van Hemert thuis voor de auditie. Ze zat op de rand van zijn grote open haard waarin het vuur loeide en haar rug schroeide, maar ze had het koud. Want ze keek naar de regisseur die achter zijn mooie bureau zat met een gezicht op onweer, terwijl ze haar tekst voorlas. Het was een liefdesscène met Coen Flink, die in het echt de schoonzoon van Van Hemert was. Bij iedere zin die ze las, dacht Willeke: nu zegt-ie het, nu krijg ik te horen dat ik het leuk geprobeerd heb, maar dat ze toch echt een beroepsactrice nodig hebben voor deze rol. Maar hij zei niets, hij keek alleen maar heel zuur. En dat was alles. 'Ik ging terug naar Badhoevedorp zonder dat ze me ook maar iets zeiden.'

Toen ze thuiskwam vloog ze huilend in de armen van Joop. 'Gelukkig zei Joop niet dat ik het eigenlijk best kon, of zoiets stoms. Hij gaf me een kop soep en stopte me in bed, waarna ik snikkend in slaap viel. Maar even later werd ik wakker omdat ik hem hoorde praten aan de telefoon. Hij vroeg: "Wil je het haar zelf niet vertellen? Nou goed. Ja, morgen zal ze er zijn. Dag." Ik had de rol! Ik was Marleen! Van Hemert had alleen maar zo boos gekeken omdat hij zich realiseerde dat de scènes die ik las niet goed genoeg waren. Hij was boos op zichzelf geweest, niet op mij!'

Het script voor de serie arriveerde een week later en lag op tafel. Zesentwintig delen in een stapel van meer dan een meter hoog. Daniëlle kon er niet eens overheen kijken.

Er zaten scènes bij van meer dan veertien minuten. Willeke wilde op de repetities komen met gekende tekst. Dat heeft ze altijd gedaan, doet ze nog steeds. Zelfs nu nog.

Op haar rieten stoel bij haar voordeur ligt het script van de musical *De Jantjes*, waarin ze nu, in 2014, voor de tweede maal het personage Na Druppel speelt. Ik zie haar zinnen gemarkeerd met gele inkt, de zon weerkaatsend. Er staat een glaasje water bij de stoel op de grond, maar zelf is Willeke niet te zien. Als een vogel die even het nest heeft verlaten, is ze wat anders gaan doen. En de tekst – ach, ze kent 'm wel, het is een kwestie van even ophalen, net als fietsen en zwemmen: het zit verankerd in haar hoofd. Maar toch: wel even ophalen.

Het moet wonderlijk druk zijn in dat muzikale geheugen van haar, want ieder lied dat ze ooit gezongen heeft plukt ze uit die zestig jaar en rolt over haar lippen alsof ze het gisteren nog in de zaal bracht. Als je goed luistert hoor je haar publiek nog meezingen, op de achtergrond. Maar liedjes zijn makkelijker dan teksten. Als je iets echt wilt onthouden, moet je het op muziek zetten.

De teksten van Willy van Hemert voor *De Kleine Waarheid* waren vol en zwaar en bij tijd en wijle zo doorspekt van het verleden

Smoorverliefd was Willeke op John Leddy, maar met getrouwde mannen deed ze niks

dat niemand de betekenis meer wist. Het verhaal speelde zich af aan het begin van de vorige eeuw, naar de trilogie van Jan Mens. Hij riep er een wereld mee op die veel ouder was dan die van het kleine, dappere zangeresje, die er soms een woordenboek bij nodig had. Ze las de punten en komma's niet hardop, zoals gebruikelijk was bij het klassieke toneel. Er was een toontje dat hoorde bij acteurs en actrices, een toontje dat in het dagelijks leven nergens anders te horen was dan op de bühne.

'John Leddy, Coen Flink, Guus Verstraete, Emmy Lopes Dias en al die andere geweldige acteurs: zij waren mijn toneelschool. Ik leerde iedere dag van hen. En zij – zo vertelden ze later – van mij. Het was een wisselwerking omdat ik alles van nature deed. Ik had hun scholing niet, probeerde me alleen maar oprecht in de rol in te leven. Marleen Spaargaren was een eenvoudig dienstmeisje, maar haar karakter leek een heleboel op het mijne. Ik kon alleen niets van het huishouden.

Ik heb moeten leren hoe je een tafel hoort te dekken en toen ik met een ontbijtblad door een deuropening moest, realiseerde ik me niet dat het blad breder was dan de deur, waardoor het hele servies, kopjes, theepot, jam, boter en borden, alles door de studio rolde. Of ik moest een brood snijden en dan kwamen er weer brieven uit heel Nederland dat ik veel te dikke plakken sneed. Aardappels schillen, bedden opmaken... ik heb nog nooit zo veel in de huishouding gedaan als toen.'

Het was ook buiten de opnames een leerzame tijd, want haar 'Higgins' Willy van Hemert en zijn vrouw introduceerden haar in de betere klasse van het Blaricumse. Hoe je wijn moet inschenken, hoe je een huiskamer gezellig maakt met bloemstukken en snuisterijen, hoe je je gedraagt als je bij de koningin op bezoek bent: het was niet alleen een tv-serie waarin Willeke terechtkwam, het was een totaal andere manier van leven.

Ze heeft van toen, net als bij het kijken naar artiesten vanuit de coulissen, het beste wat ze voor haar eigen leven kon gebruiken meegenomen. Dat is ook nu te zien, bij haar stoel met het script van *De Jantjes* erop. Er staan prachtige rustieke houten bankjes, een karaf met water waarin verse bramen en aardbeien dobberen, een enorme parasol met een rieten zithoek en overal bloemen, maar nergens is iets te veel.

Door de stroom nieuw geld uit Amsterdam slibde het opeens populaire Gooi dicht in de jaren zestig, en men ratelt nu nog met fourwheeldrive over de stille laantjes zoals de nieuwe adel met hun koets in de achttiende eeuw. Iedereen die iemand was, kocht een patriciërshuis of een rustieke villa met rieten dak op veertig minuten van hun geliefde maar luidruchtige Amsterdam. Hier krijsten alleen de pauwen, of kwaakten de eenden in de vijver bij Rust Wat.

Willeke ontdekte de buurt dankzij Willy en zijn vrouw, op wie zij beiden stapelgek was. 'We liepen hand in hand over de Larense hei. Ik zag hem als mijn vader, mijn mentor. De mensen dachten dat wij wat hadden samen, maar dat was absoluut niet zo. Maar ik was natuurlijk wel verliefd op mijn tegenspelers. Op allemaal ja, ik heb er niet een overgeslagen. Ik werd verliefd op hen en zij op mij. Je bent zo intens aan het spelen, het gebeurde gewoon. Het was ook het enige wat ik kon: ik kan niet doen alsof.'

Maar meer dan verliefdheid werd het nooit, want ze waren allemaal getrouwd en Willeke deed het nog steeds niet met mannen die getrouwd waren, al helemaal niet als ze ook nog eens zo'n leuke vrouw hadden, zoals Caroline Kaart, van Willy.

Zich volkomen bewust van het feit dat ze uit de Jordaan kwam, maar met de trots die daar ook bij hoort, zette ze haar eerste stap te midden van de anderen als serieus actrice in *De Kleine Waarheid*.

> '*Marleen Spaargaren is alleen.*
> *Alleen met een onbekend, onvriendelijk milieu,*
> *nu moet ze bewijzen dat ze al bijna volwassen is.*
> *Nu kan ze niet, zoals toen ze met de schutterij meegelopen was,*
> *om d'r moeder roepen, en door een vriendelijke heer*
> *worden thuisgebracht.*
> *Als ze nu de liedjes niet binnen in zich had,*
> *dan zou ze gaan huilen...*'

(uit: *De Kleine Waarheid*)

'Ze zei dat de liedjes uit haar buik kwamen', is een van de zinnen die Van Hemert in zijn voice-over over zijn Marleen zei. Dat hij de rol kon aanpassen aan zijn nieuwe ontdekking, is duidelijk. Hij kon haar ook lekker in plat Amsterdams laten zingen over haar kindertijd, de oorlog, de honger en de rijkdom van een kast vol eten.

U EET MAAR ZOVEEL ALS U LUST, MEVROUW

U eet maar zoveel als u lust mevrouw
Anders heb ik nog pasteien in de kast
Het betreft kindertaartjes en gerust mevrouw
Nog wat slagroom of citroen
of zit u al voor de mast?
'k Heb ook hele verse zalm
en goeie boter,
en de borden alle dagen groter
Er is zat voor alle hongerlijers want
mijn papa is comestiblesfabrikant

De cast van *De Kleine Waarheid* was geweldig, de romantiek en het wel en wee van de lagere klasse was meteen geliefd bij televisiekijkend Nederland, maar degene die de mensen bovenal in hun hart sloten was Marleen, oftewel Willeke.
Ze werd alom geprezen om haar natuurlijke manier van acteren. Juist het gebrek aan professionele scholing, het gelezen toontje dat haar niet in de weg zat, maakte haar volkomen levensecht. Na vijf afleveringen was Marleen de absolute favoriet van het publiek. Ze ontving de Televizier-Ring.
'Daar heb ik echt niks voor gedaan,' zegt ze nu zelf. 'Dat is gewoon gebeurd en niemand was zo verbaasd als ik.'
De serie mocht dan voor sommige critici quasidiepzinnig, sentimenteel, burgerlijk of massa-amusement zijn, voor de andere 99 procent van de bevolking was het prachtig: nostalgie en drama van eigen bodem.

EEN AMSTERDAMSE PRACHTMEID kopte *Het Parool*
WILLEKE IN DE VOETSPOREN VAN JAN MENS
WILLEKE SLAAT ALLES

Willy van Hemert deelt in eer TeleVizierring

WILLEKE GETROUWD MET „JAN EN ALLEMAN"

Gekleed in een doorzichtig zwart, met goud bestikt hot-pant-pak
met daaroverheen een lange oranje-geel bewerkte rok, stond
daar: Willeke Alberti, een klein, lief poppetje op het grote tor
van de Heineken's ontspanningszaal in de hoofdstad, een be
verlegen lachend naar de meer dan vijfhonderd televisie-
platenprominenten, familieleden, TeleVizermedewerkers, fotо
fen, verslaggevers en „receptielopers" in de zaal. Verlegen vc
onder de geestige, wijze, hartelijke, gevoelige en ernstige w
den die een geroerde Willy van Hemert in een voortreffe
speech tot haar sprak. Toen hij daarna op haar toekwam, om
de zevende TeleVizierring in de historie om de slanke ving
schuiven, vloog ze hem om de hals.

Marleen sleept de Televizier-Ring binnen

'Na de eerste aflevering is televisiekijkend Nederland duidelijk de
vaderlandse productie trouw gebleven. Dat Willeke behalve zingen
meer in haar mars had, bleek al toen ze in haar eerste show een
stukje toneelspeelde. Als Marleen bewijst ze
opnieuw heel goed te kunnen acteren, volkomen
vrij van de voor het indringende camera-oog zo
funeste toneelmaniertjes.'

WILLY VAN HEMERT DEELT IN EER TELEVI-
ZIER-RING - 'Toen Van Hemert na een voor-
treffelijke speech op haar toe kwam, om haar
de zevende Televizier-Ring in de historie om de
slanke vinger te schuiven, vloog ze hem om de
hals.'

DE KLEINE WAARHEID BREEKT ALLE
RECORDS

HOE MARLEEN SPAARGAREN MIJN LEVEN
VERANDERDE - door Willeke Alberti verteld
aan Henk van der Meijden: 'Deze rol te mogen

spelen is het fijnste wat ik tot nu toe in mijn leven heb mogen doen. Ik ben van Marleen gaan houden. Ze is gewoon iemand geworden met wie ik elke dag spreek. Het is niet een rol die je leert en

Een grote familie, de crew van *De Kleine Waarheid*

vergeet. Het is een deel van je leven geworden, en soms heb ik het gevoel dat ik helemaal Marleen Spaargaren word...'

'En ik heb er zo veel van geleerd! De repetities in de Arend, de opnames in de studio's in Hilversum, al die mensen die zo vriendelijk tegen me waren: het was een grote familie.'
Ze kan er nog steeds zo van genieten, en met iedere productie waar ze in speelt wordt een nieuwe familie om haar heen geschapen, want ze is de kern geworden, de *mama di casa* waar iedereen omheen wil zitten, de theemuts, de keukentafel op tournee. Ze komt met de lekkere hapjes en de aandacht voor iedere collega, van de kabeldrager tot de grootste ster, het maakt voor haar geen verschil. 'De studio werd mijn tweede thuis. Ik zat altijd bij de figuranten en bij de crew: de mensen van de techniek, de make-up. Er werden vroeger altijd lekkere broodjes gemaakt. Michels, een begrip in de wereld van de visagie, die ook wel met veel humor

"de godfather van de Nederlandse grime" genoemd werd, zei
dan tegen me: "Wat ben je toch lelijk... maar ik ga d'r wel wat van
maken", en dan stopte hij het sponsje in mijn open mond en keek
ik hem met grote ogen aan en dacht ik: jaaa!

Na hem – hij werd ongeneeslijk ziek – was er Econ Schindler,
ook al zo'n lieverd, en Marga Langeweg, die de kostuums deed:
de klerewijven, werden de dames van de kleding genoemd. Een
kleedkamer wordt in zekere zin je huiskamer, vooral als een serie
zo lang duurt als *De Kleine Waarheid*: ruim twee jaar. Je gaat je zo
hechten aan zo'n groep. Dat heb ik altijd gehad, vanaf het begin.
Ik ben een echte *trooper*. En misschien ben ik wel een enorme tut,'
zegt ze uitdagend, terwijl ze haar script oppakt en in de zon tegenover me gaat zitten. 'Ik hou gewoon zo veel van al die mensen. Dus
dan ben ik maar zo. Een tut, ja.'

ZEG EENS WAT, GOD

In de tijd van *De Kleine Waarheid* zorgde Joop samen met zijn
zusje Carola voor Daniëlle. Zonder hem had Willeke nooit haar
werk kunnen doen. Hij was een uitstekende huisman, dol op zijn
dochter en de perfecte partner als het gaat om aanmoediging
en ondersteuning. In hun nieuwe huis in Osdorp bouwde hij
weliswaar een bar die voor hem de juiste hoogte had, maar waar
Willeke niet eens overheen kon kijken, net als de spiegels die zo
hoog hingen dat zij zichzelf er niet in kon zien, maar, nou ja, zelfs
de beste echtgenoten weten niet altijd hoe lang hun vrouw is. Hij
was haar manager en in bijna elk opzicht de gedroomde partner.
Alleen kon hij niet trouw zijn.

Er was geen dag die hij oversloeg. Er was geen avond dat ze thuis
kon komen zonder het vermoeden dat er weer een dame overstag
was gegaan voor de charmes van 'de man van Willeke Alberti'. En
natuurlijk moet dat zijn weerslag gehad hebben op haar liefde voor
hem.

De realisatie dat hij haar waarschijnlijk nooit als 'de enige' zou
zien, maakte haar alleen maar meer en meer toegewijd aan haar

rol. Want daarin leefde zij zich zo in, dat de dag waarop haar echtgenoot in de serie, Jan Engelmoer, stierf, niets meer te maken had met het spelen van een rol. Ze was nog nooit zo ongelukkig geweest als bij zijn 'crematie' in Velsen.

'Willy van Hemert hield mij apart van de andere acteurs, daar mocht ik niet mee praten. En hij vertelde mij dat ik niet mocht huilen, maar dat ik heel krachtig moest zijn tijdens mijn speech. Hij zei: "Denk maar dat je vader daar in die kist ligt".'

Het succes van Marleen Spaargaren was aan meer te danken dan alleen haar natuurlijke spel, het had ook te maken met een vlucht van Willeke in een andere werkelijkheid, omdat de werkelijkheid die zij thuis kende niet klopte.

ZEG EENS WAT, GOD

Zeg 's wat, God
Wie ben je, wie ben je, wie ben je
Wat denk je en wat wil je en waar ga je heen
Ik ken je, ik ken je, ik ken je

Waar we lopen langs elkaar heen
Blijven liever maar alleen
Met onze dromen en ons knagende geweten
Waarmee we vaak in de puree hebben gezeten.
Wij blijven liever onbemind en onbekend
Wij zijn al jaren aan de eenzaamheid gewend

Zeg eens wat, God, doe eens wat, God
die in de hemelen zijt
We zoeken ons allemaal rot, o God
maar de weg naar elkaar zijn we kwijt

Wie ben je, wie ben je , wie ben je
Wat heb je met de plannen van je jeugd gedaan ?
Ik ken je, ik ken je, ik ken je

maar we blijven liever niet
bij wat voorbijgegaan is staan
We zijn met onbeschreven pagina's begonnen
maar wie noteert, wat we verloren, wat we wonnen?
We houden 't dagboek van ons leven liever schoon
't Wordt een vergeetboek, kijk niet om en doe gewoon

Zeg eens wat, God, doe eens wat, God
die in de hemelen zijt
We zoeken ons allemaal rot, o God
maar de weg naar elkaar zijn we kwijt

Wie ben je, wie ben je, wie ben je
Je hebt toch ook een naam en een geboortekaart?
Ik ken je, ik ken je, ik ken je
en ik weet, dat je een raadsel
en een schat bewaart
Misschien ben jij of jij of jij wel 's Konings bode
God schreef helaas zijn blijde boodschap in een code
waarvan de sleutel ergens liggen moet op straat
God help ons zoeken, morgen is 't misschien te laat

Zeg eens wat, God, doe eens wat, God
die in de hemelen zijt
We zoeken ons allemaal rot, o God
maar de weg naar elkaar zijn we kwijt

(tekst: Willy van Hemert, muziek: Cor Lemaire)

Het waren de dagen waarin eenzame harten een ander soort vriendschap vinden, die meer met de onschuld van kinderen dan met volwassenen te maken heeft. Een feestje bij Karin Kent bracht Willeke weer in contact met Jeroen Krabbé.
Krabbé kwam uit een kunstzinnig nest, met een stamboom vol beroemde schilders en een net zo artistieke moeder. Hij was dus erfelijk belast met een kwast, schilderde van jongs af aan, maar

Acteur, kunstschilder, regisseur en levensvriend Jeroen Krabbé had behalve de kunstacademie ook de toneelschool doorlopen en zowel film als televisie gedaan. Hij was bovendien bijzonder knap. Hij had de liefde van zijn leven al in 1954 ontmoet, en was nu met haar naar het feestje gekomen, waar Willeke met Joop Oonk was. Het was 1969 en zowel Herma, de vrouw van Jeroen, als Willeke had in die tijd net haar eerste baby gekregen. Twee jonge moedertjes, dat schept een band.

Het leek ze een goed idee om die twee kinderen, die ongeveer vijf maanden oud waren, met elkaar te laten spelen. Zo kwam Martijn Krabbé in de box bij Daniëlle Oonk terecht, waar hij haar meteen uit slingerde. 'Het was net een kleine gorilla,' zegt Willeke. 'Ik heb het gefilmd, en daar zie je dat Martijn Daniëlle geheel uit beeld gooit,' beaamt Jeroen lachend. 'Ik moest op tournee naar Curaçao en Willeke nodigde Herma uit om bij haar te logeren, zodat Herma niet alleen hoefde te zijn met de baby. Hoe dan ook, we waren dus enorm bevriend geraakt op het persoonlijke vlak, toen *Twee op de wip* ter sprake kwam.' Het was kort nadat de opnames voor *De Kleine Waarheid* waren afgerond. Er werd gekeken naar nieuwe rollen, nieuwe mogelijkheden. Willeke had nu serieus naam gemaakt als tv-actrice, en Van Hemert zocht naar andere producties om met haar te werken. Jeroen was dus al een goede vriend en werd nu gevraagd om ook haar collega te worden. Het was een keuze die hem niet makkelijk werd gemaakt.

'In *Willeke International* had Willeke laten zien dat ze enorm veelzijdig was. Je zag al dat ze een groot talent had om dingen heel snel op te pakken en zich eigen te maken. Dat kan ze namelijk als geen ander. Daarna was Willeke ontzettend goed in *De Kleine Waarheid*, iedereen prees dat, ook mensen uit het grote toneel. Maar er was natuurlijk een enorm verschil tussen dat toneel en televisie. *Twee op de wip* was een hartstikke goed stuk, dat al eerder gespeeld was door Guus Hermus en Andrea Domburg. Dit keer zou het geregisseerd worden door Willy van Hemert. Maar ik zat toen net bij toneelgroep Globe, het was 1969, en dat ik een stuk zou gaan doen met "een zangeresje" werd me niet in dank afgenomen, op z'n zachtst gezegd. Mijn collegae die het lazen in de krant wilden niet eens meer met me praten. Ze waren bij Globe woedend dat ik het toneel ging verlaten voor zo'n zangeresje. Er was zo'n scheiding tussen het theater, het grote toneel en de rest, het cabaret, laat staan televisie, laat staan dit soort "entertainment" en "vrije producties". Dan werd je gezien alsof je lid van de NSB was geworden. Maar ik zei: "Ik ga gewoon spelen, het is een fantastisch stuk, en jullie zoeken het allemaal maar uit."

We gingen repeteren. Met Willy van Hemert als regisseur. Laat ik het aardig zeggen: hij was geen toneelregisseur. Ik vond hem niet goed. Televisiedrama is iets heel anders dan theater. Hij had ook nog bedacht dat er liedjes in *Twee op de wip* moesten zitten. Want dat paste bij Willeke. Ik was daar tegen, want als je nou ver weg wilt gaan van het image dat je hebt, dan moet je vooral niet gaan zingen op het toneel. Maar goed, het kon niet anders, zeiden ze. En helaas moest ik dus ook zingen. Ik kan niet zingen, wil niet zingen, zal nooit zingen, maar ik heb dankzij Willeke zangles gehad van Len del Ferro, en ik moest zingen. Het was gruwelijk.

Maar het ergste was dat ik zag dat Willeke door Willy van Hemert volkomen verkeerd werd aangepakt, want hij liet haar Willeke zijn. In *De Kleine Waarheid* kon dat, Marleen Spaargaren was heel dicht bij haar, het had met haar te maken. Maar in *Twee op de wip* moest ze een totaal ander iemand spelen. Ze raakte daarvan in de war, wist niet hoe ze dat moest doen. Ze was zo gewend om Willeke Alberti te zijn. Dat moest ze loslaten, en dat is zo knap, omdat ze al vanaf haar tiende jaar gewoon naar zichzelf greep: dit ben ik en zo doe ik dat. Ze wilde dat nu overwinnen. Willy van Hemert hielp haar daar niet bij. Ik moest haar helpen. Wat ik deed is het volgende. Iedere dag na afloop van de repetitie gingen we naar mijn huis en speelden we de scènes opnieuw, maar dan nu hoe het eigenlijk moest. Willy heeft het nooit geweten, en hij heeft het ook niet gezien. Dat bewees dat hij helemaal niet goed keek: dat het hem niet opviel dat ze de volgende dag totaal iets anders deed dan wat hij gevraagd had.

Ik was niet mals tegen haar. Ik was niet lief en aardig. En dat was ze niet gewend, ze werd altijd met fluwelen handschoentjes aangepakt. Maar ze vertrouwde me, en later zei ze dat ze dat wel enorm gewaardeerd heeft.

Toen kwam de première, in Haarlem. En op de
eerste rij zat Ischa Meijer, een dodelijke recen-
sent. Dodelijk. Hij zat daar wijdbeens, achter-
overgeleund te wachten.

Dat wisten we nog niet, we waren nog in de
kleedkamer. Daar was ze zó nerveus, zo ziek van
de zenuwen, dat ze gal kotste. Ze kon niet anders
dan kotsen, kotsen en kotsen. We gingen op,
zongen dat eerste rampzalige liedje en toen zag
ik hem zitten:

Ischa.

Ik weet niet of zij hem ook meteen zag, maar dat
was zo angstaanjagend. Je denkt: ik wil dood, ik
wil naar huis, waar is de guillotine, ik haal mijn
kop eraf. Maar we speelden door, en het was
een enorm succes met ovaties en bravo-geroep.
Maar dat wil nog niks zeggen. De hele familie
Alberti was door het dolle heen dat Willeke dit
ook nog gedaan had, iedereen stuurde bloemen.
Maar toen, de volgende dag, toen kwamen de
kranten. *Het Parool*, waar Ischa in schreef. Die
sla je dan open met trillende handen. En je
denkt: nu ga ik voor de bijl. En toen schreef hij
dat Willeke Alberti had bewezen een toneelper-
soonlijkheid te zijn. Hij vond ons geweldig! Het
was een heel mooie recensie.

Alleen: "Willy van Hemert moet met z'n blote
billen over de markt van Haarlem getrokken
worden." Zo erg vond-ie het, vanwege die
liedjes.

Maar het maakte niet uit, het was een groot
succes en we hebben het tweehonderdvijftig
keer gespeeld.'

'Papier hier, papier hier...' In de Efteling liepen
Joop en Willeke met Daniëlle langs de sprookjes

Tijdens *Twee op de wip* was
Jeroen niet mals tegen Willeke

'Ze zagen ons ineens als koppel, na *Twee op de wip*'

die allemaal met: 'En ze leefden nog lang en gelukkig' eindigden, wetend dat dat niet hún sprookje was. Als jonge ouders, kijkend naar het dansende meisje dat hen voorgoed met elkaar zou verbinden, kwam Willeke op het idee om een serie voor televisie te maken waarbij de oude sprookjes zouden beginnen in het heden en dan over zouden gaan naar het verleden. Een verleden waarin alles mogelijk was en het *happy end* gegarandeerd.

'Sprookjes zijn vaak zo hard voor kinderen, en ik wilde ze zachter maken en laten zien dat ze echt konden bestaan.' En verder zouden er natuurlijk liedjes in gezongen worden, omdat dat met Willeke als centrale figuur in alle afleveringen wel zo leuk was. Voor deze serie *Willeke... er was eens* bewerkte Mies Bouhuys op haar eigen, geniale wijze Vrouw Holle, Blauwbaard, Het meisje met de zwavelstokjes en De varkenshoeder.

Guus Verstraete jr. nam de productie en deels de regie op zich. Voor de andere rollen in dit kleurrijke geheel werden grote namen aangetrokken, van wie sommigen van het klassiek toneel kwamen. En zo vond vriend en mentor Jeroen Krabbé zichzelf opeens op de set in de studio in de rol van varkenshoeder, met een levensgroot gevlekt varken in zijn armen. Hij kijkt op en ziet een beeldschone prinses staan.

'O god, ik weet er niets meer van!' roept hij nu. Hij heeft er ooit nog een foto van gekregen van haar. 'Ze zagen ons ineens als koppel, na *Twee op de wip*, en lieten me opdraven voor de raarste dingen. Ze zat ook in zo veel producties.'

Willeke was elke keer blij als ze tegenover Jeroen kwam te staan, want ze leerde heel veel van hem.
'Van Jeroen heb ik vooral geleerd mezelf te zijn. Dat klinkt heel cliché, en het is zo'n raad die iedereen geeft, vooral binnen "het wereldje" van acteren en zingen, maar het is ontzettend moeilijk

Een leven als een lied

om je masker echt af te zetten en te vertrouwen op je innerlijk. Gewoon je uitstraling als basis te nemen, in plaats van make-up en kleding. Je imago moet je vergeten.

Ik herinner me nog hoe naakt ik me voelde toen ik als jong meissie voor het eerst herkend werd in het openbare zwembad in Amsterdam: ik voelde hoe ik bekeken en besproken werd en mijn zwempak was bij lange na niet voldoende om me te bedekken. Als artiest, als bekende artiest, ben je toch altijd veel bloter dan de mensen om je heen. Ga dan ook nog maar eens jezelf zijn. Daar heb je lef voor nodig, hoor. Jeroen had letterlijk en figuurlijk schijt daaraan. Hij vond dat je ook je lichamelijke functies moest accepteren, dus boeren en scheten hoorden er ook bij. Het heeft ons vaak dubbel doen liggen van het lachen.'

Ria en Willy Alberti kwamen heel vaak kijken naar *Twee op de wip*. En als ze 's nachts thuiskwamen in Amsterdam, dan stond er in de garage-bar in huize Alberti altijd een schaal met oesters klaar, en een fles rosé.

Jeroen maakte de familie Alberti van dichtbij mee, en werd altijd met liefde door ze ontvangen. Willy bewaarde altijd een fles champagne voor als er iets te vieren viel.

En Willy was enorm beschermend als het om Willeke ging. Jeroen: 'Het is ook wel begrijpelijk, als je als kindje van tien begint. Willy wist hoe die schnabbelwereld in elkaar stak.

Willekes discipline komt uit haar jeugd, toen er alleen nog maar radio was en geen tv: het geld werd verdiend op de schnabbeltour. Als je ziek was, dan kreeg je niets, als je moe was, dan kreeg je niets. Ze deed drie schnabbels op een avond. Ongelooflijk, van a naar b naar c. Dat heeft haar enorm gevormd. Ook de omstandigheden waarin ze moest optreden. Die waren met *Twee op de wip* soms abominabel, dat kon op de ergste plekken zijn, in een kazerne of waar dan ook, met zo'n reisdecor. Ze zat er niet mee, ze had het al zo vaak gedaan. Ze had opgetreden in ik weet niet wat voor gelegenheden.'

Na *Twee op de wip* volgde *Slippers*, weer met Joop van den Ende als producent. Een blijspel, met Guus Hermus en Mary Dresselhuys.

Willeke
slaat
alles

ONAFHANK
RADIO/TV
UITGAVE
LOSSE NUMM

ONZE VOORSPELLING dat de
em de TeleVizierring welcens
al open kon liggen, blijken
plank volkomen misgeslagen
en! De ongelukkige plaatsing
kleine waarheid" in het be-
maandagavond, tegelijk met
ke serie Greta-Garbofilms
andere net, deed ons dat ver-
Ten onrechte, want na de

eerste aflevering is tv-kijkend Nederland duidelijk de vaderlandse
produktie trouw gebleven. Dat Wil

niertjes Nu eens fel ruziénd
haar (film)vader, dan weer
kleine waarheid" verdedigend te
mant mouw Spalonie steeds

de glimlach van een ko
WILLY ALBERTI
zon in Mexico

WILLEKE

'Het was een stuk dat ik heel vaak gespeeld had,' vertelt Jeroen, 'en na *Twee op de Wip* leek het me geweldig om dat nu met Willeke te doen.

Ik vroeg aan Mary Dresselhuys of ze het wilde doen, met Willeke Alberti als mijn verloofde. Het leek Mary een heel erg leuk idee. Zij had geen reserves ten opzichte van andere disciplines. Dat kon haar niet schelen. Als het maar goed was. En ze had Willeke in *Twee op de wip* gezien en dat vond ze goed.

Toen naar Guus of hij het wilde spelen én de regie wilde doen.'

Die twee sterren van het grote toneel bleken warme en humoristische mensen te zijn. Mary Dresselhuys kwam iedere dag met

Slippers gaat op 16 oktober 1973 in première

een andere tip. 'Als je nou dit kopje neerzet nádat je die zin hebt gezegd, dan heb je daar die lach van het publiek weer terug. Het luistert heel nauw, timing is alles bij komedies.'

ROOIE SIEN

'Joop en ik waren intussen verhuisd naar een prachtig huis aan de Torenlaan in Blaricum. Het had een kasteel uit een sprookje kunnen zijn, en de omgeving was dat ook: schilderachtig. Maar ons huwelijk was dat niet.

Ik probeerde me erbij neer te leggen dat Joop overal waar wij kwamen vrouwen zag waar hij 't mee gedaan had of waar hij 't mee wilde doen. Hij vond het zelf niets bijzonders dat hij zo was, en in die tijd nam niemand het erg nauw met de huwelijkse trouw.

Ik heb m'n best gedaan om daarin ook mee te doen, maar kwam tot de conclusie dat het voor mij niet werkte. Ik kan zulke intieme dingen niet zomaar doen met iemand van wie ik niet hou. Voor mij zijn liefde en seks onlosmakelijk met elkaar verbonden. En mensen die beweren dat dat niet zo is... Ach, ik ken vrijwel geen enkel koppel uit die tijd dat nu nog bij elkaar is. Wij waren nog samen omdat je het niet snel op wilt geven, niet met een dochter die nog maar zes jaar oud is. Ik vond dat ik niet moest scheiden, dat ik dan maar gewoon keihard door moest werken en de andere kant op moest kijken...

En toen liet Joop zijn neus opereren, want hij moest nóg knapper worden. Hij wilde op de terugweg bijna uit het vliegtuig springen, want hij was een gorilla geworden. Verkeerd geopereerd door de ex-man van Lenny Kuhr. Terwijl het de mooiste man was die je ooit hebt gezien, maar door die neus was het een aap geworden. Een andere dokter, die we onderweg tegenkwamen, een heel beroemde plastisch chirurg, heeft 'm weer heel mooi gekregen, maar tijdens die operatie ging hij bijna de pijp uit, omdat hij blijkbaar niet tegen de narcose kon. Ze hebben hem weer gereanimeerd. En dat was bij mij eigenlijk het punt waarop ik dacht: jij hoort niet bij mij. Als je zo alleen maar bezig bent met nóg mooier te worden... die ijdelheid... Vanaf die tijd heb ik ook iets tegen dat snijden in mensen. Ik heb, toen mijn oogleden gingen hangen, het zelf laten corrigeren. Het is maar een minuscuul velletje, maar toch heb ik zelfs daar spijt van. Want je krijgt toch een ander gezicht, andere ogen. En ik voel het nog steeds, terwijl ze het heel mooi gedaan hebben.

Ik heb altijd zo'n knobbel op mijn neus gehad, souvenir van een ongelukje in mijn jeugd, en het was logischer geweest om die weg te laten halen. Maar ik dacht altijd: het is wel goed zo. Ik verzorg me goed, en ik kijk in de spiegel en dan denk ik: ja, het is zo. Iedereen moet het natuurlijk zelf weten, maar ik vind veel mensen zo nietszeggend worden door die operaties.'

Ze kijkt mij onderzoekend aan. Zo meteen zit ik hier te praten met een verbouwde - kom ik effe fout over, zie ik haar denken. Maar nee, zo denkt ze niet. Ze heeft zelfacceptatie geleerd van Jeroen, en ze meent wat ze zegt. 'Ik ben het helemaal met je eens,' zeg ik, geruststellend knikkend, al had ik het leuker gevonden om haar te zeggen dat ik vroeger een bloemkoolneus, puntoren en drie onder-kinnen had, en bovendien een ander geslacht.
Accepteren wie je bent is niet alleen een Krabbé-mantra, het zit natuurlijk ook gewoon in de Willeke die opgroeide in de Jordaan. Haar oom Johnny, wiens liedjes zij zo graag zong en op wiens twaalfenhalfjarig huwelijk zij optrad, bleek homo te zijn en kwam daarvoor uit in een tijd dat dat nog niet geaccepteerd was.
'Ik heb hem er altijd enorm om bewonderd, dat hij uit de kast kwam. Dat was niet niks, toen, en hij was al hartstikke bekend ook.'
Johnny Jordaan was een van die mensen die het lef had om zichzelf te zijn. Het was niet handig voor een beroemde volkszanger, maar hij deed 't. En Willeke, die op haar zevende naar hem had staan kijken terwijl hij optrad en dacht: dat wil ik ook, werd uiteinde-lijk tot 'koningin-moeder der homo's' uitgeroepen tijdens de Gay Pride in Amsterdam.
Ze voelde zich altijd al op haar gemak bij homo's en kon beter kletsen met homo's dan heteromannen. Ja, wie niet? Voor haar kwam daar ook nog bij dat het bij hetero's, als ze aardig tegen haar deden, niet alleen om 'het' ging, maar om een tweede fout motief, om 'Willeke Alberti' met wie ze dan naar bed waren geweest.
Wanneer weet je, als je van kinds af aan Bekende Nederlander bent, dat het om jóú gaat en niet om je naam?
Toen zij nog veilig mevrouw Oonk was (en hij meneer Willeke

Alberti), hoefde ze zich niet het hoofd te breken over zulke dubbele bodems. Na haar scheiding zou dat anders worden. Alleen dacht ze daar voorlopig niet aan. Het verdriet was, hoewel ze een uiterst beminnelijke scheiding hadden, met dezelfde advocaat en geen gedoe, toch groot.

'Joop zei dat hij mij nóóit ontrouw was geweest,' zegt ze. En dat was ook zo, niet in lichamelijke maar wel in geestelijke zin. Hij zou altijd een heel goede vriend blijven, een man met wie ze ook nu nog graag omgaat. Dat is op zich ook al opmerkelijk. Niet omzien in wrok, maar het goede bewaren. Ze hadden natuurlijk Daniëlle samen, de dochter op wie hij stapelgek is en met wie zij zich als moeder en vriendin verbonden voelt tot in het diepst van haar wezen. Maar meer dan dat gedeelde ouderschap van je eerste kind, ziet Willeke in hem nog altijd haar maatje. 'Als er iets mis is, bel ik hem direct. Hij is mij heel dierbaar.'

Joop pakte zijn koffers en Willeke hielp hem, gaf hem de auto mee en bleef achter in het huis in de Torenlaan, met Daniëlle. De zesjarige dochter die vooral door haar vader was opgevoed, een vader die nog bezorgder was dan een moeder normaal gesproken is, zag hem nu vertrekken. Toch raakte ze er niet door in paniek, want Joop bleef langskomen zo veel hij maar kon, en Willeke vond dat prima.

'Daniëlle zei me later dat ze geen last had gehad van onze scheiding, maar mijn verdriet, dát deed haar pijn. Dat heeft haar doen besluiten

De kleine Daniëlle luistert vol bewondering naar haar moeder

om mij nooit tot last te zijn. En dat vind ik heel erg, maar aan de andere kant heeft ze altijd haar vader gehad, godzijdank. Nu zijn we inmiddels zo goed samen, en dat is zo'n cadeautje, dat wij elkaar weer kunnen knuffelen.'

Daniëlle was een makkelijk kind, ze danste de hele dag, zat op ballet vanaf haar derde, leerde danspasjes en deed toneelstukjes met vriendinnen, heel zonnig. Willeke kon – en moest – blijven werken. Ze deed dus *Slippers*. Omdat het met het grote toneel niet zo best ging, werden er BN'ers gevraagd om de zalen weer vol te krijgen. Dat de simpele 'vedettes' nu naast de grote spelers op het toneel stonden, vonden die laatsten, en natuurlijk ook de critici, niet allemaal even leuk. Willeke werd verweten dat haar talent 'slechts' een natuurtalent was.

Ze speelde Christine in *Liebelei* van Schnitzler aan het Rotterdams toneel met dat natuurtalent, en dacht aan de woorden van de Amerikaanse grimeur die Katharine Hepburn schminkte, die haar hadden getroost: 'Wees niet bang. Alles is een kans, dus grijp 'm.' Toen filmregisseur Frans Weisz haar vroeg voor de rol van Rooie Sien, een rol die al 1500 keer door de befaamde Beppie Nooij jr. op het toneel was gespeeld, leek het er toch echt op dat het Willeke gelukt was om naam te maken als serieus actrice.

Ze was er dolblij mee, maar ook dodelijk nerveus. Midden in de scheiding van Oonk, als kersverse alleenstaande moeder in het chique huis in Blaricum, was haar innerlijke balans ver te zoeken. Moest ze het doen, kon ze het aan? Het betekende een combinatie van toneel en film tegelijk, want de *Slippers*-tournee was nog niet helemaal afgelopen toen de opnames voor *Rooie Sien* begonnen. Zo moest ze dus van rode krullenbol naar langharig blondje gekapt worden, iedere dag. En de omschakeling die Iduna Beenken, de visagiste op de set, moest maken, was nog maar een kleine vergeleken bij de innerlijke metamorfose die Willeke moest ondergaan, van hedendaagse jonge vrouw in een pantoffelkomedie naar dochter van een Amsterdams animeermeisje in de jaren twintig. De foto's laten een magere, breekbare Willeke zien. Een grote bos rode krullen in een dun zijden jurkje. Ze heeft geen grammetje vet meer en zingt en danst met de moed der wanhoop.

Lang was haar hart niet verloren. Ze werd hopeloos verliefd op
haar man in de film: de ongelooflijk charismatische Jules Hamel.
Die verliefdheid kon zich nergens anders uiten dan voor de camera
en onder de lampen van de studio, want Hamel was getrouwd en
ondanks – of misschien nog wel extra dankzij – haar scheiding
van Oonk, was Willeke niet van plan een relatie met een getrouwde
vent te beginnen. Te veel vrouwen waren onder haar neus met haar
echtgenoot in bed gestapt, zij zou er niet zo eentje zijn!

'Maar o, wat was die man mooi! Ik was stapelverliefd. Maar het
zat zo in mijn systeem, ik was er zo principieel in om nooit iets
met een getrouwde man te beginnen. Dat had ik met John Leddy,
met Coen Flink. Was ik ook stapelverliefd op, maar ook nooit
iets mee gedaan. Niet dat ik dan andere mensen veroordeelde

Rooie Sien danst met haar man tijdens hun show

die wel affaires hadden – maar ik begon daar niet aan! Het enige moment waarop ik mezelf die gevoelens toestond, was tijdens het spel. Onze liefdesscènes waren wat mij betreft dus helemaal niet gespeeld. Als hij mij kuste, dan smolt ik, misschien dat het daardoor wel zo levensecht overkomt. Ik genoot van die takes, en toen Jules in zijn rol verliefd werd op een ander meisje, hoefde ik ook niet te doen alsof mijn hart brak. Want dat deed het echt. Het was niet makkelijk om mijn gevoelens niet te tonen als de lampen uitgingen en wij naar huis konden. Jules had een vrouw die thuis op hem wachtte, ik had niemand.'

In *Rooie Sien* beginnen Jan (Jules Hamel) en zijn vriendin Angelique een verhouding pal onder de ogen van Rooie Sien (Willeke). Hij vindt zijn vrouw te braaf en om haar te pesten treedt hij met Angelique uitdagend op in het cabaret in Den Haag, waar zij samen werken. Na deze zwoele dans van haar man met een ander, mag Rooie Sien de bühne op. Ze krijgt een tik op haar bil van de uitbater met de woorden: 'En nou jij!' en daar staat ze. En ze zingt:

TELKENS WEER

Telkens weer, haal ik me in mijn hoofd
dat ik die hemel krijg, die me wordt beloofd
Telkens weer, wordt alle blauw weer grauw
sta ik teleurgesteld, buiten in de kou

Maar telkens weer, denk ik er komt er één
waar ik alleen voor leef, mijn hart aan geef
Bij wie ik vind, dat wat ik nu ontbeer
Liefde voor altijd telkens weer

Telkens weer, slaat wat er vroeger was
weer als een vlam omhoog, uit de oude as
Telkens weer, alsof het nooit geneest

blijft er die pijn bestaan, om wat is geweest

Maar telkens weer, denk ik er komt er één
waar ik alleen voor leef, mijn hart aan geef
Bij wie ik vind, dat wat ik nu ontbeer
Liefde voor altijd...
Telkens weer

Telkens weer, sta ik teleurgesteld, buiten in de kou

Maar telkens weer, denk ik er komt er één
waar ik alleen voor leef, mijn hart aan geef
Bij wie ik vind, dat wat ik nu ontbeer
Liefde voor altijd...
Telkens weer

(tekst: Friso Wiegersma, muziek: Ruud Bos)

'Ik zing dat lied nog steeds tijdens mijn optredens, het is zo mooi. Geschreven door Friso Wiegersma en Ruud Bos. Toen ik het als Rooie Sien voor het eerst zong, zei mijn vader trots: "Dat is het mooiste wat je ooit gedaan hebt!" Een heel bijzonder compliment. Tijdens de filmopnames ervan was ook iedereen op de set ontroerd. Het was zo'n zeldzaam moment, waarop je voelt dat je je emotie direct overbrengt op de mensen om je heen, en dat je één bent.

Toch vind ik zingen moeilijker dan acteren. Maar acteren is weer moeilijker in films, doordat het zo fragmentarisch wordt opgenomen. We hadden in *De Kleine Waarheid* scènes van een kwartier gehad, die aan één stuk door werden opgenomen. Daar kon ik me dan helemaal in gooien. Maar bij zo'n film, dan heb je aan het einde van de dag nog een close-up die ergens halverwege zal worden gemonteerd. Dan moet je, wham!, die emotie oproepen. Het was een heel andere discipline. Het maakte mij erg onzeker. Kon ik dat wel? Die faalangst, die verlatingsangst: dat je zo bang bent of ze je nog wel leuk vinden.

Frans Weisz is een enigmatische, prachtige man, die mij keer op keer de inspiratie gaf om Sien tot leven te brengen. De emotionele periode waar ik doorheen ging gaf ook kleur aan mijn karakter in de film. Peter Faber speelde mijn eerste vriendje dat mij ten huwelijk vraagt, en ik had hem heel koel af moeten wijzen. Alleen speelde Peter zo naturel, en toen hij me vroeg kon ik alleen maar in tranen uitbarsten. Het woordje "koel" kon uit het script geschrapt worden: ik maakte er een heel andere Rooie Sien van dan Beppie Nooij destijds had neergezet. Gelukkig liet Frans mij vrij om het zo te doen, en kon het publiek in de bioscoop het waarderen.

Ik weet nog heel goed de laatste scène met Jules Hamel, hoe we samen de trap op liepen, en bovenaan, buiten het zicht van de camera's, zei hij tegen me: "Nou, dat is lekker, bedankt." En ik vroeg: "Bedankt waarvoor?" "Nou, ik ben heel veel van je gaan houden." "O. En dat vertel je me nu, op de laatste draaidag? Ik ook van jou, trouwens." En dat was dat. Meer gebeurde er niet. Wat ik zo mooi vond aan hem, was dat hij trouw was aan zijn vrouw. Dus het bestaat toch, dacht ik.'

Rooie Sien werd een groot kassucces. Het prachtige camerawerk van Feranc Kalman Gall, de bezielde regie van Frans Weisz, de geweldige cast, onder wie Kees Brusse, Guus Oster, Cor van Rijn

'Dit is het mooiste wat je ooit gedaan hebt!' zei een trotse Willy op de
première van *Rooie Sien*

en Myra Ward, en het uitstekende script maken de film nu nog
steeds de moeite waard. Een Nederlandse productie om trots op
te zijn. Voor Willeke betekende het haar doorbraak als actrice op
het witte doek, ze was nu waar ze als klein meisje, kijkend naar
Doris Day in de Cinetol met een doos popcorn in haar hand, al van
droomde. Ze was filmster!
Tijdens de première op 25 maart 1975 waren ook koningin Juliana,

Rooie Sien

Willeke & Beppie
Alberti   Nooij Jr.

es Hamel

Kees Brusse · Peter Faber · Myra Ward

prins Bernhard, prins Claus en prinses Beatrix aanwezig.

'Ik bood de koningin een sigaretje aan, want ik had gehoord dat ze rookte,' vertelt Willeke. Ze kon het ook direct goed vinden met Prins Bernard. Het feest dat begon met de rode loper, om naar haar eigen film te gaan kijken, was natuurlijk groots.

'Ik vroeg aan prins Bernard: "Bent u in niet in slaap gevallen?" Want dat deed hij altijd. En daar moest-ie erg om lachen.'

DE RODE LOPER

Het was de eerste van vele rode lopers. Tegen de tijd dat ik er met Willeke op sta, is het een blauwe geworden. Dat is alleen vanavond de kleur, omdat de TROS zijn vijftigjarig jubileum viert en het logo van de omroep blauw is. Verder is er niet veel veranderd. We staan voor Carré, het theater waar zij schuin tegenover geboren is. Het is 3 september 2014.

Dranghekken op de laatste vijftig meter naar de ingang van het theater vormen een soort sluis waarbij links en rechts talloze fotografen en filmploegen ons staan op te wachten. 'Ik voel me net een koe in een kudde tijdens een veekeuring,' zei Willeke al onderweg in de taxi. Nee, ze zou liever op haar vrije avond thuis zijn gebleven, met wat vrienden om de keukentafel, in plaats van te moeten bedenken wat er onder de dresscode 'feestelijk' nou weer verstaan wordt.

We staan in een lange rij prachtig opgedirkte BN'ers, die waarschijnlijk allemaal – dat moet een troost zijn – naar hun bed hebben staan staren, waarop zich een bomexplosie van kleding heeft voltrokken. Iedereen heeft alles drie keer aangetrokken om te zien wat er nog past en waar je niet dik in lijkt, om dan in godsnaam maar weer te eindigen met het eerste jurkje. Dat moet dan maar. Strik in je haar en make-up op, en niet zo'n beetje ook. 'Want die lampen in de vip-ruimte zijn vreselijk! Ik heb ze speciaal na laten maken, zodat ik weet hoe ik eruitzie als ik eronder sta.' Ik weet precies wat Willeke bedoelt: te weinig verf op je gezicht en je ziet eruit als een lijk dat drie weken voor Carré in de gracht heeft gelegen, te veel en je kan zo de Walletjes op. Eén geruststelling: je weet dat je straks vrijwel alle fotografen die hun toestel op je richten al decennialang kent. Van vader op zoon gaat dat beroep, net zoals veel van de artiesten die ze schieten. De jagers en hun prooi, ze kennen hun vak en groeten elkaar als oude vrienden, maar hun lens kent geen genade: de rimpels en de groeven die er door de jaren bij zijn gekomen liggen allemaal op datum in hun archief.

Achter ons vraagt een echtpaar heel beleefd aan een suppoost, vlak voor we de flitsgang tussen de dranghekken door moeten: 'Wij zijn niet bekend, mogen we dan achterom?' En wij denken: waren wij dat maar. Maar zo zijn de spelregels niet. We komen hier om glans te geven aan een jubileum. Dat betekent eerst een kwartiertje poseren op de loper en dan blind van al het flitslicht het theater in struikelen, glaasje bubbels in de hand gedrukt krijgen, luchtzoenen met de gastheren en hopen dat je de naam nog kent van iedereen die jou al jaren tot zijn of haar vriendenkring rekent. En natuurlijk alsmaar hopend dat je jurk niet omhoog, omlaag of zijwaarts kruipt, en de dresscode niet alsnog black tie blijkt te zijn. 'Bij de première van *De Jantjes* had ik geen zin om me om te kleden,' zegt Willeke, onderwijl vriendelijk knikkend naar iedereen. 'Toen ben ik gewoon als mijn personage Na Druppel gegaan. Alleen mijn zwarte tandje even wit gepoetst, maar verder gewoon die jurk aangehouden.' Dat moet een opluchting zijn geweest, want nu hoefde ze niet te bedenken wat ze als Willeke Alberti aan zou moeten doen.

'Maar straks vind ik het toch ook wel leuk, hoor,' heeft ze me in de taxi toevertrouwd, 'want ik zie al mijn vriendjes weer.' André van Duin, Fransje Bauer, Tonny Eyk, die zo veel muziek voor haar componeerde, de oude impresario Jacques Senf, Nick en Simon, Jenny Arean, de hele wereld en z'n vrouw is er. Willeke heeft met allemaal gewerkt en is door allen even geliefd. Ooit bood ze de koningin een saffie aan op de première, nu is zij zelf de koningin, maar net als Juliana zonder enige kapsones, want daar is zij – ook als Willeke Alberti de BN'er – wars van.

Ze wordt even apart genomen om een persoonlijke felicitatie voor de TROS uit te spreken, de omroep die tien jaar na haar debuut werd opgericht, en waar ze zo veel programma's voor gedaan heeft.

Als we in de schitterende zaal zitten met vijftienhonderd topar- tiesten om ons heen, zie ik haar verheugd naar het podium kijken: klaar om geamuseerd te worden. Ik probeer me voor te stellen hoe zij daar als meisje van zes in de coulissen stond, achter die gordijnen, kijkend zoals ze nu kijkt. Hopend op iets moois. Ach, traden nu de Selvera's maar op, of kwam Willy Alberti nu maar in het spotlicht staan, om 'Ik hou van jou mooi Amsterdam' te zingen!

De lichten in de zaal blijven aan, want er moeten opnames van de sterren in het publiek gemaakt worden, de hele voorstelling lang. Dus zelfs als het niks is, kun je niet gapen, slapen, neuspeuteren of kruiskrabben. Zelfs niet lekker wijdbeens zitten, zoals Na Druppel in *De Jantjes*. Nee, dit wordt twee uur lang braaf zitten en jezelf koelte toewaaieren met je uitnodiging. Het is bloedheet.

Waarschijnlijk gaat er heel wat éminence grises onderuit, want alle oude coryfeeën van de tv zijn er – goh, ik dacht dat u al dood was. Te midden van al die bejaarden valt het eens te meer op hoe jong en sprankelend Willeke is. Durf ik haar dat nog een keer te zeggen, of is dat overdreven en gelooft ze me dan niet meer?

Vanuit onze verhoogde plaats zien we de achterhoofden van André Rieu, Bas van Toorn, Ivo Niehe, noem maar op, de hele zaal zit barstensvol talent. Alleen op het podium zit het niet. Want daar begint een urenlange conference van een oude cabaretier die al na een kwartier op iedereens zenuwen werkt en dan nog twee uur langer doorzeurt. Rechts van mij kijkt Joost den Draaijer, alias Willem van Kooten, iedere vijf minuten op zijn horloge. Daar voorbij zie ik rijen vol bevroren grijnzen en glazige blikken, die aan bitterballen en wijn of een biertje denken of aan alles, behalve aan hier, deze show, deze niet-leuke man.

Willeke wordt natuurlijk, net als alle grote namen, in een niet- grappig grapje genoemd, waarbij we niet-lachend lachen en een heel oude dame die niet meer weet hoe ze moet fluisteren vraagt keihard: 'Is het nou al afgelopen?'

Een uur of wat later staan we eindelijk in de gang en komen er in hoog tempo de heerlijkste happen op dienbladen langs. Niemand denkt meer aan zijn puntendieet of te krappe jurk, iedereen grijpt naar de zalm, de worstjes op brood, de bitterballen, de frites, het eitje met de bloemkoolmousse en de drank. Troostvoedsel.

Willeke wilde meteen weg, zo de voordeur uit, hup de taxi in. Maar door de gemeenschappelijke smart van het moeten kijken naar een oubollige conference, hangt er een sfeer van opluchting en zijn er te veel mensen die éven met haar willen praten om hun vrije avond toch nog goed te maken. Hadden we maar de hele tijd hier kunnen staan, herinneringen ophalend en nieuwe sterren bemoedigend toesprekend. Er zitten zo veel leuke mensen tussen. Of hadden ze in de zaal maar de filmbeelden van vroeger laten zien, die ze later op televisie in het programma gemonteerd hebben. Dat was, vooral voor al die grote coryfeeën in Carré, wel zo respectvol geweest. Klapvee waren we, een geeltje voor een beeldje, maar ja...

Op de terugweg in de taxi moeten we nog even naklagen en daarna moet zij direct naar bed, want morgen zijn er weer repetities voor *De Jantjes*. Dat is tenminste leuk, daar ligt haar hart. Maar de rest, nee, die kant van de showwereld heeft ze nu wel gezien. De diva wil op haar vrije avond liever op de divan dan op de rode loper. Ze heeft groot gelijk.

NIEUWE LIEFDE

Het is en het was altijd het werk, het zingen en acteren, dat Willeke overeind hield. De kracht putte ze uit het optreden voor een zaal, uit de wisselwerking met het publiek. Het was haar eerste grote liefde, die ze via haar vader heeft leren kennen, en het is er een die haar trouw zal blijven zolang ze leeft.

Daar is ze zelf bij, dat heeft zij zelf in de hand. Maar mannen zijn een ander verhaal.

Willeke had na haar scheiding een korte romance met Wibo van de Linde, de tv-reporter. Hij was een boom van een man en de schouder waarop ze kon uithuilen bevond zich dus op een halve meter boven haar hoofd. 'Ja, hij was echt te groot voor me. Maar liggend in het gras van de duinen, met lange gesprekken en veel begrip en tederheid, hielp hij mij om de leegte die door Joop was achtergelaten een beetje te vullen.' Daniëlle, inmiddels tien jaar, zag met verbazing dat haar moeder 'een vriendje' had, met wie ze naar Texel ging om een frisse neus te halen, en vooral frisse moed. Zij, de dochter die van zo dichtbij haar moeders verdriet om Joop had meegemaakt, was er blij mee.

'Nee, ik zag Wibo of andere mannen in mijn moeders leven niet als een plaatsvervanger, een vaderfiguur. Die had ik niet nodig, want mijn eigen vader, Joop, vulde die plaats voor honderd procent. Joop was mijn god voor mij, en omdat hij gewoon bleef langskomen na de scheiding, miste ik hem ook niet. Hij kwam alleen wat minder toen John er eenmaal was. Dat werd toch wat moeilijker, toen.' Welke John was dat? Na Wibo's troostrelatie ontmoette Willeke John de Mol tijdens TROS-opnames. Een jongen die toen nog de koffie rondbracht, maar grote plannen had. Ze had hem al eens eerder ontmoet bij Radio Noordzee, waar hij toen als technicus werkte, in opdracht van zijn vader, John de Mol senior.

'Hij was onzettend verlegen, en ik was het die hém vroeg om op mijn verjaarsfeestje te komen. Hij stuurde een rode azalea, heel lief, en ik belde hem om te bedanken en of hij iets kwam drinken 's avonds. Hij kwam en hij ging nooit meer weg.' En zo begon het. John was jong, heel jong. Willeke was tien jaar ouder dan hij, had een dochter en was gescheiden: zo zagen Johns ouders het. Het verliefde stel zelf had er een andere mening over, en liet zich niet weerhouden.

'Tijd en leeftijd zijn voor mij nooit belangrijk geweest. Nu niet en vroeger niet. Ik ging met ouder en met jonger om. Ja, er vielen jonge mannen op mij en ik viel op jong, maar ik ben ook hartstikke gevallen op oudere mannen. Ik val op een méns, weet je.'

Gelukkig kon Willeke haar nieuwe schoonouders, Hannie en John, op den duur voor zich winnen.

'Ze werden uiteindelijk heel dierbare vrienden van me, en dat bleven ze ook na de scheiding.'

Haar dochter Daniëlle was van meet af aan al blij met haar nieuwe oudere 'zusje' Linda de Mol. Die was toen tien jaar en een ontzettend leuk en spontaan kind, dat door de tuin in de Toren-laan sprong in Willekes toneelkleren. John, haar oudere broer, was strenger voor Daniëlle: ze moest leren eten met vork en mes. 'Ja, John had een soort strengheid en discipline in zich,' weet Daniëlle nog. 'Maar toch kan ik me ook herinneren dat hij en mijn moeder tikkertje speelden en dat ze door het huis renden, en dat ik dat prettig vond. Ik heb al heel jong gezien dat het goed was. Ook als een vriendinnetje van mij zich herinnert dat hij ongezellig was tegen mij, dan nog, als ik John zie, dan voel ik liefde, dus dat zal wel meevallen.'

John vond het niet prettig om met Willeke in hetzelfde huis te wonen waar ze met Oonk altijd had geleefd. Er moest een nieuw begin worden gemaakt en dat was in een huis in het midden van het oude dorp Blaricum.

'Dat vond ik wél heel erg,' herinnert Daniëlle zich, 'want ik hield heel erg van dat huis. Een paar jaar geleden kon ik er afscheid van nemen. Ik woonde in de buurt en wandelde vaak over de hei, en de man die het destijds gekocht had van John en mijn moeder stond buiten en vroeg mij nu, 27 jaar later, of ik binnen wilde komen. En er was niks, helemaal niks veranderd. Zelfs de houten bedstee die mijn vader voor me gebouwd had was er nog. Het was wel een beetje stoffig, maar alles was er nog. Toen het later verkocht werd kwamen er zelfs nog puzzelstukjes van mij van achter die bedstee tevoorschijn... Nee, ik wilde het huis niet kopen. Het was goed zo.'

HET OUDE HUIS

Ik hoor de ruzies en de feesten
Het kraken van de derde tree
Ik zie de vlek die nooit meer wegging
Mijn broertjes eerste kopje thee
Ik hoor de bel als die niet stuk was
De leiding van het licht werd oud
De oude groen geverfde deuren
Ik hou ervan, het is zo vertrouwd

Dag huis, dag lieve oude woning
Ik vond je al met al zo fijn
Een warm gevoel, een dierbaar plekje
Een leven lang aan het Floraplein

Hier las ik al je lieve brieven
Hier heb ik jou voor het eerst bemind
Hier schikte ik jouw vaas met bloemen
Ik was er blij mee als een kind
Ik hoor de stemmen van de buren
Hun stap, het kraken van hun bed
Hun hondje, later overreden
De grammofoon en het toilet

Ik breng een plantje naar beneden
En de verhuizer zegt: Bedankt
Ik kijk omhoog achter die gevel
Waar ik heb gelachen en gejankt
Ik krijg haast spijt van mijn verhuizing
Maar het oude huis wordt gauw gesloopt
Er stopt een auto met twee mannen
Waarvan er een de grond straks koopt

Dag huis, dag lieve oude woning
Hier komt een flat zegt men, met lift

Maar jij staat ondanks al je scheuren
Voor altijd in mijn hart gegrift

(tekst: Gerrit den Braber, muziek: Tonny Eyk)

Willeke was ervan overtuigd dat John de liefde van haar leven was,
en ze zette alles opzij voor hem, inclusief de intuïtie waar ze altijd
op vertrouwd had. Hij was fascinerend en ongrijpbaar, omdat hij
zo gesloten was. Willeke wilde alles doen om haar relatie met hem
tot een succes te maken.

'John is een speciaal mens, ik was toen en ben nog steeds dol
op hem. Hij zat boordevol plannen en inzicht en alles wat hij
aanraakte leek goud te worden. Hij was gek op André van Duin, en
meneer en mevrouw De Bok was een idee van hem. John was toen,
vanaf het begin al, ongelooflijk goed op zakelijk gebied. Binnen de
kortst mogelijke tijd was hij een van de topproducers van de TROS.
Joop van den Ende zag toen al wie hij was, zag zijn talent, en het
uiteindelijk samengaan van die twee was dan ook heel slim, van
allebei. Ze hadden toen al een status waardoor ze maar met weinig
mensen konden praten over de ambities die ze beiden hadden,
want die ambities waren zo onvoorstelbaar groot. John en Joop
van den Ende zijn natuurlijk totaal verschillende mensen, maar
ze hebben samen ongelooflijk veel gepresteerd, verdiend en neergezet.

In het begin bleek al dat John er niet tegen kon dat ik de kost-
winner was. Ik hoorde later in een interview dat hij zei dat hij
maar één doel had: om groter te worden dan ik. Nou, dat is hem
wel gelukt. Maar ik moest kiezen. En ik koos voor mijn liefde: hem
en mijn kind.

Ik deed destijds een theatershow met André van Duin en Frans
van Dusschoten, compleet met pauwenveren op mijn hoofd, en
met een mantel van twintig meter schreed ik het podium op. We
hadden ontzettend veel plezier met elkaar, en tijdens mijn huwelijk met John kwam André de huwelijkssketch uit die show doen in
het gemeentehuis. Daarbij waarschuwt hij de bruidegom voor alle
valkuilen van het huwelijk, zodanig dat de aanstaande echtgenoot

Willeke zag er beeldschoon uit, leek eerder jonger dan ouder geworden

er nog tijdens de bruiloft vandoor gaat. We hebben ontzettend
gelachen, maar die valkuilen leken natuurlijk niet te bestaan voor
ons.'

Handdruk van vriend en entertainer André van Duin, tijdens het huwelijk van Willeke en John

Willeke zag er beeldschoon uit. De vrouw die 'Morgen ben ik de bruid' had gezongen vlak voor haar eerste huwelijk in 1965, leek eerder jonger dan ouder te zijn geworden. Samen met haar bruidegom John, beiden in het wit, en haar dochtertje Daniëlle en zijn zusje Linda de Mol als giechelende bruidsmeisjes in lila jurkjes, konden ze lopen van haar huis aan de Torenlaan naar het gemeentehuis. Het lag bijna aan de overkant van die lommerrijke laan in Blaricum.

'We waren dolgelukkig, helemaal toen ik drie jaar later zwanger bleek te zijn. Opnieuw was mijn zwangerschap de reden om het rustiger aan te gaan doen. John en ik hadden inmiddels een platenzaak geopend in Blaricum, Disco Alberti. Dat ging zo goed dat we algauw een filiaal in Baarn erbij hadden. In de winkel staan kon ik natuurlijk nog best, en het gaf me een heel sociaal gevoel, want we hadden nogal wat klanten die hun ziel en zaligheid kwamen uitstorten boven de toonbank.

De shows met André van Duin werden te zwaar voor me. Toen hij me tijdens een van de sketches met mevrouw De Bok in een kuip water dreigde te gooien, waarschuwde ik hem: 'Doe maar niet, want ik ben zwanger.' André was en bleef een vriend voor het leven, ook lang nadat ik met die shows was gestopt. Er was één show die ik eens in de maand wel wilde blijven doen, omdat ik gewoon rustig in het panel zat met Rita Corita en Alexander Pola: *De Willem Ruis Show*. Willem was de jonge hond in de showwereld. Het enfant terrible dat barstte van de energie en volkomen onvoorspelbaar was. Maar ook een toegewijd vakman. Hij nam *De Berend Boudewijn Quiz* over en dat werd dus *De Willem Ruis Show*. Willem en ik waren als twee handen op één buik, ik had een gevoel van herkenning bij hem en hij bij mij.

Toen ik moest bevallen was hij diezelfde avond nog in het ziekenhuis. Johnny werd op 12 januari 1979 in Laren geboren. Het was een voorbeeldige zwangerschap geweest, maar tijdens de geboorte gebeurde weer hetzelfde als bij Daniëlle: ik bleef weer bloed verliezen en kreeg koorts. Gelukkig wisten we nu wat er aan de hand was, en kon er meteen worden ingegrepen. Nu had Daniëlle er behalve een iets ouder 'zusje' ook een piepklein broertje bij. Ons gezinnetje was alles voor mij. Ik wilde moeder zijn, en vrouw van. Meer verlangde ik ook niet. Mijn carrière – ook al zat ik midden in mijn glorietijd, na *Rooie Sien*, *De Kleine Waarheid*, "Telkens weer" en alle andere successen – ging op een laag pitje. We trokken ons ook sociaal terug. Geen grote feesten of premières, maar avondjes spelletjes doen met Johns ouders, en Elly en Tony Berk, die mijn platenbaas was. Johns succesvolle carrière groeide intussen. Hij had een geweldig talent voor zaken, en overal waar hij was zag hij mogelijkheden waar anderen aan voorbijgingen.

We gingen eens naar een pretpark van Disney, en hij keek bij de ingang op de teller hoeveel mensen er al binnen waren en toen we weggingen hoeveel daarbij gekomen waren, en rekende 's avonds uit hoeveel geld dat opleverde, per dag. Dat soort dingen.

Champagne Brut Blanc de Blancs

Sauvignon Touraine Mise en Val

Côte de l'Abbaye de Rhône

Een leven als een lied

Special

Les specialités du Norvégienne
toast et beurre — *ec*

— —O—

Consommé „JOHN III"

—O—

ire

Bouchée Suprèmes du
Mer aux Fines Champagne

—O—

Le filet de Boeuf à la Louis d'Or
les légumes étrangères *ec*
pommes parisiennes *ec*

—O—

Les fraises et Glace flambée's
à la „WILLEKE"

—O—

Cafe

—O—

Les Liquers et Cognacs Français

—O—

Friandises

Johnny junior, een schattig klein ventje van nog geen jaar

Johnny was een schattig klein mannetje. Hij was iets meer dan een jaar oud - hij kon net lopen - toen John naar me toe kwam en zei dat hij verliefd was op een ander. Hij hield meer van haar dan van mij. Ik zie hem nog staan, wikkend en wegend met zijn handen: "Als het nou nog 40 tot 60 procent was, maar zo veel hou ik niet eens van jou," zei hij. Keihard misschien, maar wel heel duidelijk en oprecht. En dat laatste was John en zou hij ook altijd blijven tegen mij, alleen kon ik dat op dat moment natuurlijk niet zo waarderen, op z'n zachtst gezegd. Hij ging naar haar. Ik was helemaal kapot, kon er niet bij. En het idiote was: zij was zangeres, en zou dat ook gewoon blijven. Ze heette Marga Scheide, van het meidenpopgroepje Luv.'

John was weg, Willekes hart was gebroken. Daniëlle kroop tegen haar aan in bed en omhelsde haar moeder, in een poging iets van de pijn weg te nemen.

Daniëlle herinnert het zich na al die jaren nog met een glimlach –
de glimlach van een kind is inmiddels die van een prachtige vrouw,
die het nodige heeft meegemaakt en kan terugblikken zoals alleen
je eigen kinderen dat kunnen.

'Toen John verliefd op haar werd was mama de grootste artieste
van Nederland, ze zat in de bloei van haar schoonheid, van haar
succes, van alles. Hij zegt: ik wil niet dat je zingt, ik wil niet dat je
optreedt, want ik wil degene zijn die... Dus ze had haar "Willeke
Alberti-zijn" eigenlijk opgegeven voor John, om Willeke de Mol te
zijn, ze had zichzelf verloochend en een deel van haar leven ingele-
verd, en wat gebeurt er: hij wordt verliefd op iemand die wél op het
podium staat te zingen en bij lange na niet zo mooi en talentvol is
als mijn mama!'

Willeke liep met haar hoofd tegen de muur van ellende, en Dani-
elle kon, net als ieder kind in zo'n situatie, niet bedenken wat ze
voor haar kon doen, behalve die omhelzing in de nacht.

Maar, ook net als ieder kind, hoorde ze en zag ze alles.

'Ik weet nog dat ik in bed lag boven, mijn kleine broertje in de
babykamer naast me, en ik hoorde de oude De Mol, de vader van
John, schreeuwen tegen hem. Over het feit dat hij niet alleen
Willeke, maar ook zijn zoontje Johnny alleen liet. John senior nam
het op voor mijn moeder, en dat heeft haar veel steun gegeven. Zij
kreeg de liefde en steun van zijn ouders en ik herinner me dat ik
dat ook echt prettig vond. Want het is natuurlijk wel onrecht, hoe
je het ook wendt of keert.'

Willeke heeft inmiddels al lang weer een uitstekende band met
John en diens huidige vrouw Els. Bij de opening van zijn Studio 21
trad ze voor hem op, en met Els kon ze de zorg voor Johnny junior
delen. Goede vrienden dus: het mooiste wat je kan overhouden
aan een gestrand huwelijk. Ze heeft lang gedacht dat de breuk
daarvan aan hun leeftijdsverschil lag: hij te jong om zich zo te
committeren aan vrouw en kind, zij te veel van zichzelf wegcijfe-
rend in een poging om zich aan te passen. Dat is nu eenmaal wat
ze doet: uit liefde onzichtbaar worden. Maar het werkt natuurlijk
averechts. Wat was er nog over van de Willeke op wie hij verliefd

was geworden? Wist ze zelf nog wie ze was?

'Ik zat met de scherven van mijn tweede huwelijk, en wist dat ik mijzelf alleen maar kon redden door mijn vak weer op te pakken en te gaan zingen alsof mijn leven ervan afhing. Want, eerlijk gezegd, zo was het ook. Ik vond mijn kracht terug dankzij mijn optredens, door het zingen van mijn eigen lied. En gelukkig waren ze me in de zaal niet vergeten. Uiteindelijk ben ik een grote mazzelkont, omdat ik als ik wél weer wilde, en wel weer kon, met beide armen ontvangen werd door het publiek. Dat hebben weinig vrouwen die gestopt zijn en weer terug willen.'

VEEL TE LANG

Dag vriendelijke morgen, verkwikt en zonder zorgen
Hoe vind je mij
Ik geloof dat ik mijzelf weer word
Voor het eerst sinds maanden
Voel ik me weer blij
Niet later of ooit, maar nu of nooit
Wil ik vrij zijn en vergeven wat gebleven is voor mij

Veel te lang
Was ik moedeloos en bang
Maar ik kan er weer tegen
Veel te lang
Ik begrijp niet hoe het kan
Maar dat is mij om het even, ik wil nu leven

Ik wou dat ik zo wijs was en net zo handig praten kon als jij
Want ik zeg niet wat belangrijk is voor jou
Maar wat belangrijk is voor mij
En nu of nooit, niet later of ooit wil ik ergens overheen zijn
Ja, dan zal ik soms alleen zijn maar wel vrij

Veel te lang
Was ik moedeloos en bang
Maar ik kan er weer tegen
Veel te lang
Ik begrijp niet hoe het kan
Maar dat is mij om het even, ik wil nu leven

(tekst en muziek: Joost Nuissl en Mike Batt)

Om haar af te leiden van haar verdriet nam haar vader haar
mee naar Amerika, om samen op te treden voor Nederlandse
emigranten: mensen die zich allemaal met veel goede plannen in
een ander werelddeel hadden gevestigd, en nu bij het horen van
ieder liedje over Amsterdam in tranen uitbarstten.
Willeke had haar eigen tranen in de zon boven Las Vegas moeten
drogen. Ze verbleven in de gouden paleizen die Amerikanen van
hun hotels maken, terwijl de tour opgenomen werd door regisseur
Guus Verstraete. Natuurlijk waren er troostrelaties genoeg op
die tour en ook nadat ze terug was in Nederland, maar het waren
vooral haar goede vrienden aan wie ze het meest had.
Rina en Kees Molenaar, Cocky en Ed van Herwaarden, Rick
Beekman, Marianne en Marc Manders, Bep en Loes Teysen, om er
maar een paar te noemen.
'Je realiseert je op het moment dat je in scheiding ligt hoe belangrijk het is om vrienden te hebben op wie je terug kan vallen. Dat
zijn de vriendschappen waar je je leven voor geeft, om het maar
even duidelijk te zeggen.' Ergens daartussen zat Job Ritman,
de jonge miljonair die rijk was geworden door de plastic-bord-
jes-en-bekertjes-industrie.
Een wegwerpfortuin dus, letterlijk. Job deed zijn zaken in een
spijkerbroek en zijn liefdes in zijden beddengoed. Een man met
een playboyimago die een veel diepere kijk op de dingen had dan je
zou vermoeden. Hij leerde haar om het leven te relativeren, 'laisser
faire', en te genieten van ieder moment. Dat was ook voor hemzelf
van belang: een jaar later stierf hij aan leukemie.

De tour door Amerika met haar vader was niet alleen een moment waarop ze de oude liedjes konden laten herleven, er werd ook een nieuw 'kindje' geboren. Het nummer 'Niemand laat z'n eigen kind alleen' had een dubbele lading. Voor vader Alberti, die zijn dochter machteloos had zien lijden onder de breuk met John, was het een tekst die vooral over zijn gevoelens voor haar gingen. Voor Willeke sloeg het op haar twee kinderen, die ze in beide gevallen zo graag een getrouwd stel ouders had willen geven, in plaats van gescheiden papa's.

Maar wat het voor hen beiden dan ook persoonlijk betekende, het nummer kwam moeiteloos binnen in alle harten van het Nederlandse publiek. Voor het eerst sinds tien jaar hadden de Alberti's een reus van een hit samen.

NIEMAND LAAT ZIJN EIGEN KIND ALLEEN

Niemand laat zijn eigen kind alleen
Je bouwt het liefst een muurtje om haar heen
Je wilt zo graag haar jeugd bewaren
En haar veel verdriet besparen
Niemand laat zijn eigen kind alleen

Jij wou altijd, altijd naast me staan
Je hebt ontzettend veel voor mij gedaan
Jij gaf mij wat je beloofde
Een leven waar ik in geloofde
Jij wou altijd, altijd naast me staan

Wat ik bij jou vond en nu nog vind
Dat, draag ik nu over op mijn kind
Niets zal ooit dat beeld uitwissen
Nooit mag zij mijn liefde missen
Je doet toch alles, alles voor je kind

Niemand laat zijn eigen kind alleen (Bedankt pa)

Je bouwt het liefst een muurtje om haar heen (Fijn gevoel was dat)
Je wilt zo graag haar jeugd bewaren
En haar veel verdriet besparen
Niemand laat zijn eigen kind alleen

(tekst en muziek: John en Susanne Edward, Tom Bos, Renée en Renato)

Wederzijdse liefde op het eerste gezicht: Willeke met Sören

EEN LINKSBENIGE MIDDENVELDER

Haar ster straalde weer, ze bereikte de mensen weer op de manier waar ze voor geboren was. En wat haar geluk compleet maakte was de man die ze voordat 'Niemand laat z'n eigen kind alleen' een hit werd, had leren kennen. Daniëlle herinnert zich dat ze erbij was op het moment dat haar moeder haar nieuwe liefde ontmoette.

'Ik was met mijn vader, Joop Oonk, op een verjaardagsfeestje van een bekende sportfotograaf. Een vriendin van mijn moeder, wier man was overleden, had haar op sleeptouw genomen naar datzelfde feest. Ik zat in een hoekje, alles bekijkend, toen ze binnenkwam. Ze had van dat lange Farrah Fawcett-haar, ze was van het verdriet door de scheiding flink afgevallen, maar het stond haar wel heel mooi. Op dat feest was Sören Lerby. Hij zag haar en werd direct verliefd op haar.'

Willeke had geen idee wie Sören was. Een voetballer, werd haar verteld. Hij had een zwaar Deens accent, een groot gevoel voor humor en kon geweldig dansen, dat was wat haar het meest opviel. Ze dansten de hele avond. De volgende dag vertelde Willeke aan Daniëlle: 'Je raadt nooit met wie ik uit ben geweest!' Met Sören Lerby, ja, dat had Daniëlle zelf gezien. De aanvoerder van Ajax was drieëntwintig, Willeke zesendertig. Haar moeder vroeg: 'Hij is nog zo jong, wat vind jij?' Daniëlle vond hem geweldig, en vindt dat nog steeds.

Daniëlle zocht geen vaderfiguur, en Sören was tien jaar ouder dan zij. Maar dankzij Sören ontmoette zij zelf haar toekomstige echtgenoot. 'Toen Sören in de familie kwam, gingen we natuurlijk veel naar de thuiswedstrijden in De Meer, en daar ontmoette ik John van 't Schip, die toen aanvaller was bij Ajax.'

Willeke was in haar jeugd vaak genoeg op de tribunes van het voetbalstadion geweest. Haar vader hield van sport en was een geestdriftige Ajax-fan. En net als Willy was zij ook dol op de wedstrijden en de spanning; ze zag een hoop overeenkomsten tussen de topsport en haar eigen vak en had respect voor de discipline van de spelers.

Wat niet wil zeggen dat ze precies wist wie Sören was of wat hij deed bij de Amsterdamse club. Met haar drukke carrière had ze maar weinig tijd om naar voetbal te kijken. Sören Lerby, de linksbenige middenvelder, 'de schaduw', de tackelende, vloekende, briesende, aanwijzingen schreeuwende Deen die altijd met afgezakte sokken speelde, had het doorzettingsvermogen dat hoort bij de leider van zo'n topclub. Hij was niet bang voor de confrontatie en wist hoe hij het veld moest bespelen. Hij had ook geleerd hoe je tegenslagen moest incasseren, maar dat kwam niet al te vaak voor: Ajax werd vijf keer landskampioen in de jaren dat hij bij de club speelde.

Een topsporter dus, wiens leven in het teken van zijn werk staat. In hetzelfde jaar dat ze Lerby ontmoette ontving Willeke een Gouden Harp voor haar carrière. Een belangrijke onderscheiding voor haar werk in de Nederlandse lichte muziek die ze trots bij haar Edison en Gouden Televizier-Ring op haar dressoir kon zetten, naast de UEFA- en Europa-cups van de topscorer. Of het er allemaal vredig op kon blijven staan, was een ander verhaal. Zoals altijd maakte de liefde van Willeke een dienstbaar mens, dat zichzelf wegcijferde om haar partner te pleasen.

Het nieuwe bekende stel bestond uit twee sterren op hun eigen gebied, de David en Victoria Beckham van de jaren tachtig: altijd in de schijnwerpers, altijd in de bladen. Een topvoetballer blijft meestal niet in hetzelfde land: de carrière van Lerby bracht hem, na mislukte contractonderhandelingen met Ajax, naar Duitsland, waar Bayern München hem wilde aankopen voor drie jaar. Dat was voor Willeke een vreselijk moeilijke beslissing. Ze woonden in die tijd in een prachtig huis in Huizen, compleet met zwembad en tennisbaan. Daniëlle zat er op de havo, Johnny op de kleuterschool. Beide kinderen hadden een sociaal leven dat je als moeder niet wil ontwrichten, maar bovenal: wat moest Willeke, Nederlands drukst bezette populaire zangeres, in Duitsland?

Ze probeerde het tij nog te keren met de hulp van vrienden van Sören, maar dat mocht niet baten.

Inmiddels was Willeke zwanger van Sören en ze besloten om te trouwen voordat ze naar München afreisden. Het huwelijk werd

Vader Alberti was het tot kort voor het huwelijk een geheim waaróm hij zijn camera die dag moest meenemen. 'Voor de gezelligheid'

zo veel mogelijk geheimgehouden, zoals bij sterren van niveau gebruikelijk is.

'We hadden de gasten uitgenodigd onder het mom van een afscheidsfeestje, omdat we naar Duitsland verhuisden. Pas toen ze er allemaal waren, vertelden we ze de werkelijke reden.

Het was nog een hele toer om het geheim te houden tot die tijd, want hoe regel je het stadhuis en zorg je voor de bloemen op de trouwauto, bijvoorbeeld? Dat deden mijn twee vrienden die altijd van álles op de hoogte waren: Bep en Loes Teysen. Twee formidabel goeie vrienden, die mij door dik en dun altijd zijn blijven steunen. Ik heb op alle huwelijken van hun kinderen gezongen. Ze zijn een rode draad vol knopen in mijn leven: alle momenten waarbij je stilstaat, die delen we.'

Vader Alberti maakte de foto's, maar ook voor hem was het tot kort voor het huwelijk nog een geheim waaróm hij zijn camera die dag moest meenemen. 'Voor de gezelligheid.'

NEEM ME ZOALS IK BEN

't Ging zo snel
Was verliefd toen ik je zag
Met jou was ik gelukkig
We genoten van elkaar
Er waren geen problemen
En alles ging zo goed
Maar pasgeleden merkte ik
Je wijst me steeds op fouten
Je ergert je aan mij
Hoe kom je zo onduidelijk
Wanneer is dat voorbij

Ik vraag je
Neem me zoals ik ben
Ik leef op mijn manier
Je kunt me niet veranderen
Alleen voor jouw plezier
En als je niet begrijpen wilt
Wat ik tegen je zeg
Dan is jouw liefde volgens mij niet echt
En ga ik weg

Wat jij verlangt
Ligt totaal niet in mijn aard
Ik ga ook niet acteren
Ik speel liever open kaart
Jouw hoge idealen zijn nogal irreëel
Geen enkele verhouding
Kan zich meten met dat beeld
Elk mens maakt wel eens fouten
Ook ik heb ze begaan
Aanvaard ze anders heeft het weinig zin
Om door te gaan

Ik leef op mijn manier
Je kunt me niet veranderen
Alleen voor jouw plezier
En als je niet begrijpen wilt
Wat ik tegen je zeg
Dan is jouw liefde volgens mij niet echt
En ga ik weg

Wat jij verlangt
Ligt totaal niet in mijn aard
Ik ga ook niet acteren
Ik speel liever open kaart
Jouw hoge idealen zijn nogal ireëel
Geen enkele verhouding
Kan zich meten met dat beeld
Elk mens maakt wel eens fouten
Ook ik heb ze begaan
Aanvaard ze anders heeft het weinig zin
Om door te gaan

'Mijn vader was een geweldige fotograaf, dus zo wisten we zeker dat we er mooie foto's aan over zouden houden,' zei Willeke. De dag na het huwelijk belde natuurlijk meteen de pers om de foto's van hem te kopen, en toen hij bij wijze van grap riep dat ze 20.000 gulden kostten, zeiden ze tot zijn stomme verbazing dat dat 'in orde' was. Ongelovig en giechelend gaf hij het door aan zijn dochter.

Willeke was vijf maanden zwanger toen ze trouwde. Ze droeg een schitterende jurk van Sheila de Vries en de zon scheen die dag. De vorige twee keer had het geregend op haar bruiloft. Was dat een teken? Zou het deze keer dan wél voor altijd zijn? Had ze nu de ware gevonden? Ze had er alles voor over om daar 'ja' op te kunnen zeggen. Dus ook een verhuizing naar München, wat afscheid van haar carrière, haar vrienden en haar ouders zou betekenen.

De baby die op 5 juli uitgerekend was, werd zelfs een week eerder 'gehaald', zodat Sören, die op 1 juli in Duitsland verwacht werd, bij de geboorte kon zijn. Direct daarna vertrok het gezin: Willeke Lerby, Daniëlle Oonk, toen 15 jaar, Sören Lerby en de één week oude nieuwe aanwinst: Kaj Sören Lerby. Plus natuurlijk de nog piepjonge Johnny de Mol jr., die, doordat hij inmiddels door Sören was geadopteerd, nu Johnny Lerby heette.

'Ik heb nooit ook maar één seconde gedacht dat ik níét bij mijn moeder zou zijn. Hoe close ik ook was met mijn vader. Dus ik ging mee naar München,' vertelt Daniëlle. 'Mijn moeder trouwde met Sören, maar zijn manager had iets tegen al die verschillende namen van ons gezin. "Dat kan niet." Dus Johnny werd geadopteerd en heeft Lerby geheten in die jaren. John de Mol heeft dat uit liefde toegestaan, hij was nu eenmaal "niet altijd aanwezig". Dus Johnny was een Lerby tot de scheiding van Sören, vijftien jaar later. Ik was de enige met een andere naam, want mijn vader wilde niet dat ik ook Lerby zou heten.'

'Over mijn lijk!' had Joop gezegd.

Ze lacht, ze voelt zich een zondagskind: dansend en zorgeloos. Haar moeder stuurde haar in Duitsland naar een internationale school, waar ze voornamelijk leerde toneelspelen. Voor Johnny en Kaj werd een Nederlands kindermeisje aangesteld, Wilma.

Ze woonden na een intense huizenjacht in een villa met zestien kamers in Icking, in het Isartal bij de Duitse Alpen, ten zuiden van München. Een schitterend huis in een lieflijke omgeving. Ze konden alle gasten uit zowel Denemarken als Nederland makkelijk onderbrengen, en de kinderen speelden verstoppertje in de vele kamers. Sören had het in het begin moeilijk met de harde mentaliteit van de Duitse spelers, zo anders dan bij Ajax. Hij sprak bovendien geen woord Duits. Willeke sprak de taal wel, dankzij de vele optredens met haar vader bij onze oosterburen. Maar dat nam niet weg dat er ook bij haar wat obstakels waren. Als kind uit de Hongerwinter kan je je ouders niet enthousiast hebben horen praten over 'dat volk'.

'Ik ben natuurlijk opgegroeid met niet al te leuke gedachtes over de Duitsers, om het netjes te zeggen. Maar dat is toen wel erg veranderd. Want ik heb daar echt wel drie topjaren gehad. Ik heb ontzettend leuke mensen ontmoet. München is geweldig en Kaj komt er nog steeds graag.'

Sören en Willeke hadden veel aan de vriendschap met keeper Jean-Marie Pfaff en zijn vrouw, die als Belgen in Duitsland door dezelfde gewenningsperiode waren gegaan.

Het nieuwe leven bracht meer nieuwe vriendinnen met zich mee: een buurvrouw met een zoontje met wie de vierjarige Johnny kon spelen – hij sprak in drie weken vloeiend Zuid-Duits, had een geweldig taalgevoel – en de vrouw van de trainer: Hilla Lattek, met wie Willeke eindeloos kon kletsen. Dat had ze ook nodig, want ondanks de romantiek met Sören was ze ook een deel van zichzelf kwijt: Frau Lerby, die op de tribunes zat en zwaaide naar haar voetballende echtgenoot, kon haar lied niet meer zingen.

Ze moest zich aanpassen. En 'die muts' moest ze ook nog afdoen. Het was een bontmuts die ze ophad toen het eens koud was, daar in het stadion in München. Sören zag haar en schreeuwde: 'Zet áf die muts!' En Willeke, braaf, trok het ding direct van haar hoofd en zat daar met platte haren en koude oren.

Er zat wel meer scheef, toen ze bijvoorbeeld mee wilde praten over

De één week oude nieuwe aanwinst: Kaj Sören Lerby

het voetbal met de mannen, en begon met: 'Nou, ik vind…' 'Wat jíj vindt,' onderbrak Lerby haar, 'wat jíj vindt, schat, dat moet je naar de politie brengen!'

Met Kerstmis gingen ze naar huis, maar dat werd dan Denemarken, naar Sörens familie, waarbij Willeke haar heimwee naar haar eigen familie moest onderdrukken en moest accepteren dat Denen, wanneer ze feestvieren, dat doen met geweldige hoeveelheden drank.

'Drank is in Denemarken erg duur, en het percentage alcoholisten is er erg hoog. Waarmee ik maar wil zeggen: het verbieden of het moeilijk maken van alcohol drinken heeft niet altijd het gewenste effect. Sören dronk natuurlijk nooit doordeweeks of tijdens zijn trainingen, maar daarbuiten…'

Willeke miste haar vader, belde iedere dag met hem, en toen 'Mijn hoofd weer op je schouder' een hit in Nederland werd, was ze blij om met dat excuus weer even terug te kunnen voor tv-opnames en radio-interviews.

MIJN HOOFD WEER OP JE SCHOUDER

't Leek zo mooi, sprak vanzelf, jij en ik, en zo moest het altijd blijven
Ons geluk kon niet stuk en de zon die zou voor ons eeuwig schijnen
Maar ineens wou je weg, 't ging zo vlug en wat bleef dat was een droom

Zo gaat het vaak om je heen, heel onverwacht ziet de een het niet meer zitten
De ander blijft, het huis is leeg, 's avonds laat vertelt de kamer zijn verhaal
Van hoe het was, wat-ie zei, maar wat bleef dat is die droom

Mijn hoofd weer op je schouder, je handen spelen met m'n haar
We zijn dan wel wat ouder maar toch weer even bij elkaar
Mijn hoofd weer op je schouder, je handen spelen met m'n haar
We zijn dan wel wat ouder maar toch weer even bij elkaar

Het geluk is net een bloem, plukt hem af, hoopt dat-ie zal blijven bloeien
Je neemt 'm mee in je hand, veel te vast, want je wilt 'm niet verliezen
Maar na een dag in een vaas valt-ie uit en wat blijft dat is die droom

Die lege plek in je huis, in je hart, denkt dat-ie niet terug zal komen
En je zegt: slijt wel weg, gaat voorbij, en je probeert het te vergeten
's Avonds laat, telefoon, 'ja, met mij, ik kom terug voor onze droom...'

(tekst en muziek: Peter van Asten en Richard de Bois)

Met Daniëlle ging het intussen niet echt lekker op de internationale school. Althans, wat het behalen van cijfers of het leren van
vakken betrof. Toneelspelen vond ze erg leuk en dat deed ze graag,
maar daarmee haalde je je diploma niet. Willeke wilde haar liever
naar een gewone Duitse school sturen, maar daar had haar pube-
rende dochter geen zin in. Die was haar eigen identiteit aan het
ontdekken.
Daniëlle: 'Ik zat op een internationale school in München en
ontdekte in die tijd, zeg maar, wat andere dingen dan Barbies.
Mijn moeder liet me toen naar mijn oma in Nederland gaan om
daar mijn school af te maken. Waarom bij mijn oma, en niet bij
mijn vader, met wie ik zo'n sterke band had? Ik vroeg het hem
vele jaren later en hij zei: "Tsja, je moeder had dat allemaal zo
geregeld." Dus ik heb een half jaar bij mijn oma gewoond, wat
trouwens heerlijk was, mijn lieve, bijzondere, zorgzame oma Ria,
en daarna ben ik gaan samenwonen met mijn man, John van 't
Schip. Ik heb nooit het gevoel gehad dat ik door mijn moeder werd
weggestuurd: het was mijn keus om naar Nederland te gaan, ik
had het echt zelf bedacht.'
Willeke miste Daniëlle verschrikkelijk. Ze had haar twee zonen
gelukkig nog wel bij zich. Johnny herinnert zich kleine flarden,
momentopnames uit zijn jeugd, dat Icking een heerlijke plek was
om op te groeien: 'We woonden op een heuvel en je kon 's winters
naar school skiën. En ik voetbalde met Sören bij Bayern, geweldig!
Ik ben er onlangs nog eens teruggekeerd voor een tv-programma,

samen met Guus Meeuwis. De buurvrouw van vroeger woonde er nog, en herkende me! Het was daar nog net zoals ik het me herinner. Alles in Duitsland was altijd goed geregeld.'

Dat kan Willeke beamen. Als spelersvrouw werd ze enorm verwend: Bayern München was daar goed in. Zo stond ze met haar glaasje champagne – alsjeblieft niet meer dan één – en een stuk weisswurst in een wereld die zij zo graag had willen liefhebben, maar die ondanks haar liefde voor voetbal nooit helemaal de hare werd.

En toen kwam het bericht uit Nederland dat haar vader ziek was. 'Hij had een leverziekte, dat bleek in de familie te zitten. Eigenlijk mag je dan helemaal geen alcohol, want daar kan je lichaam niet tegen. Maar ja, dat wist mijn vader eerst niet en hij lustte er wel eentje, natuurlijk. Niet dat-ie veel dronk, integendeel, hij had aan een enkel glaasje genoeg. Hij werd altijd ontzettend lief, had nooit een kwaaie dronk. Toen de dokter tegen hem zei: "Je lever kan het niet aan, je moet ermee ophouden", deed hij dat ook. Maar toen het na een tijdje beter met hem ging en zijn arts dat ook beaamde, dacht vader dat hij dus ook wel weer die borrel mocht. Hadden ze er in die tijd meer van geweten – het is al weer dertig jaar geleden – dan was er met die ziekte nog wel te leven geweest. Zolang je maar geen druppel drinkt, kan je er gewoon oud mee worden. Maar Alberti's dokter had hem naar zijn idee gezond verklaard en dus mocht-ie er weer eentje.

Meer was ook niet nodig, mijn vader was al teut na een half eier-doppie, maar dat was dus vanwege zijn kapotte lever.' Willeke zag nog eerder dan haar moeder hoe haar vader afviel. Ze zei er niets van, want hij had het er ook niet over. Hij was niet het type dat zeurde over kwaaltjes. Zijn gezicht werd steeds magerder, zijn buik bleef bol, vanwege de lever.

Eind 1984, toen Mies Bouwman Willy Alberti vroeg voor haar AVRO-programma In de hoofdrol, was Alberti al ernstig afgevallen. Hij had een jongensachtig koppie gekregen, maar was nog even goedlachs als altijd. Natuurlijk werd hem in de uitzending gezegd dat zijn dochter Willeke en haar gezin helaas niet konden komen,

In Duitsland had Willeke haar twee zonen gelukkig bij zich

omdat ze op vakantie waren op de Canarische Eilanden, en
natuurlijk kwamen ze wél door die deur in Mies' spotlicht gelopen,
recht in de armen van de ontroerde Willy.

Het was 2 januari 1985, en Willy had nog maar kort te leven.

'Toen we allemaal zaten kwam er nog een mysterieuze gast: een
heel aardige dame, Frau Henke, die mijn vader volgens Mies had
opgevangen toen hij in Oberdingen in Duitsland was en ontzet-
tende last van zijn eeuwige heimwee had.'

Die heimwee naar Amsterdam is Willy nooit ontgroeid: altijd als hij terugkwam uit het buitenland, van vakantie of tournee, reed hij met het hele gezin altijd eerst een rondje om de Westertoren voordat hij naar huis ging, ook al passeerden ze daarbij eerst hun eigen huis.

Maar je zag aan het gezicht van Willy dat hij geen flauw idee had wie die Frau Henke was, en dat klopt, want hij had haar nog nooit gezien. Was het een gek, een fan, of, God verhoede, een dame met wie hij ooit een avontuurtje had gehad? Dat laatste was natuurlijk de nachtmerrie van iedereen die 'in de hoofdrol' zat bij Mies. Maar de deur gaat open en een paard van een vrouw komt binnen. Het is Johnny Kraaijkamp, de grootste komiek die Nederland ooit gekend heeft. Hij is verkleed als dame, compleet met pruik en parelketting, en valt Willy snikkend in de armen. Willy Alberti, die zijn eigen pak nauwelijks meer vult vanwege zijn door ziekte uitgemergelde lichaam, ligt letterlijk dubbel van het lachen. Het is alsof alle jaren van hard werken en stress van hem af vallen. Zijn schaterende jongensgezicht is dat van de knul die in de Jordaan opgroeide en die zo ontzettend hield van lachen, van grappen maken met zijn vrienden zoals Kraaijkamp, die hij al kende sinds zijn variététijd. Willy komt niet meer bij en het publiek en de hele familie Alberti krijgen samen met hem de slappe lach.

Zullen we hem zo maar onthouden? Willeke kan het programma nu, dertig jaar na de dood van haar vader, nog steeds niet zien. Het is te aangrijpend. Ze weet nog hoe ze door haar ome Tonny na de uitzending naar het vliegveld werden gebracht.

Haar vader werd kort daarna opgenomen in het ziekenhuis en weer naar huis gestuurd. Tegen haar moeder werd gezegd: 'U weet toch dat uw man naar huis komt om te sterven?' Ze kon het niet geloven. En heeft het ook nooit geaccepteerd.

Maar Alberti wist het.

Willeke kwam over uit Duitsland en stond aan zijn bed, net als de hele familie. Maar niemand kon echt geloven dat het zo ernstig was.

'Het was kort na *In de hoofdrol*, dat begin januari werd opgenomen, en de Elfstedentocht stond voor de deur, zoals ieder jaar als het flink vriest. Vader zei: "Je moet mijn deelname maar even afmelden, want ik geloof niet dat ik het ga redden om mee te doen dit jaar." Dat soort grapjes waren zo typerend voor hem. Ik zag wel dat hij heel erg geel in zijn gezicht was, maar hij wilde er verder niets van zeggen.'

Ze ging terug naar haar gezin in Duitsland. Op haar verjaardag, 3 februari, werd Willy Alberti nog met bed en al naar de telefoon gereden, zodat hij Willeke kon feliciteren.

Maar op 18 februari 1985 kwam er weer een telefoontje, deze keer om te vertellen dat Willy Alberti in coma lag. Niet veel later hoorden ze dat hij was overleden. Hij was pas achtenvijftig.

'We gingen naar het ziekenhuis waar hij lag, en bij de kamer waar hij lag opgebaard zat een journalist van een roddelblad, die aan mij vroeg: "En hoe voel je je nu, nu je vader is overleden?" Ik was perplex. Ik had mijn vader toen nog niet eens gezíén!'

De realisatie dat Willy Alberti echt overleden was, kwam pas een paar uur later, toen de familie en vrienden bijeenzaten om de begrafenis te bespreken en iemand aan Johnny Kraaijkamp vroeg of hij misschien 'Er is een Amsterdammer doodgegaan' wilde zingen tijdens de uitvaart.

'Johnny Kraaijkamp zei: "Dat kán ik niet", en precies op dat moment drong het pas tot me door dat mijn vader echt gestorven was.'

ER IS EEN AMSTERDAMMER DOODGEGAAN

D'r is een Amsterdammer doodgegaan
Hij zat gewoon in z'n café te kaarten
Hij kreeg een glaasje bier van tante Sjaan
En hupsakee, hij gaf de pijp aan Maarten.
De dokter was gebeld, stond met de deurknop in z'n hand
En tante Sjaan, die lag voor pampus in d'r ledikant
De GGD, u kent dat wel, wat was dat gauw gegaan
En allemaal zo rond het zevenhonderd jaar bestaan

D'r is een Amsterdammer doodgegaan
Hij stond gewoon z'n pierement te draaien
Hij zong 't lied 'bij ons in de Jordaan'
En even later was-ie naar de haaien
De tram stond even stil, en iedereen die riep op hoop
Heel even maar, ze moesten gauw weer naar de bioscoop
Maar in 't oog van 't orgelvrouwtje blonk een dikke traan
En allemaal zo rond het zevenhonderd jaar bestaan

D'r is een Amsterdammer doodgegaan
Hij liet z'n hondje plassen op de Wallen
Z'n rikketik was even blijven staan
En kijk, hij was al uit de koets gevallen
Daar lag-ie in de regen, modder op z'n goeie pak
Twee kaartjes voor Toon Hermans had-ie ook nog in z'n zak
Hij was toch nog zo graag een avond naar Carré gegaan
En allemaal zo rond het zevenhonderd jaar bestaan

D'r is een Amsterdammer doodgegaan
Die hoek is leeg daar in 't stamcafeetje
Wie soms nog aan hem denkt is tante Sjaan
Die mist hem iedere dag nog wel een beetje
Het pierement gaat door de straat, één is er niet meer bij
En in Carré bij Hermans, daar is ook een stoeltje vrij
Je kunt er niet omheen, je moet er even stil bij staan
En allemaal zo rond het zevenhonderd jaar bestaan

(tekst en muziek: Wim Kersten)

Willeke was niet alleen haar vader kwijt, maar ook haar beste vriend, haar maatje door dik en dun, haar collega. De man van wie zij meer hield dan van wie ook, met wie ze iedere dag belde en naast wie zij zo veel uren had gezeten in de auto, op weg naar hun optredens, zwijgend, luisterend naar muziek, zonder woorden en toch altijd zo dichtbij.

Niemand zou ooit die plaats in kunnen nemen, zijn stoel zou altijd leeg blijven. Als je je vader verliest, verlies je een deel van jezelf. Een arm of een been, een oog of een stuk van je glimlach, een deel van je dag, een moment dat de telefoon ging en je wíst dat hij het was, een uitzicht waar hij altijd naar keek, een plaats waar hij altijd stilstond, een grap waar hij altijd om lachte.

Vaak bleef hij naast haar zitten en dan praatte ze met hem, overlegde met hem. Hun innige band hield nooit op. Ook zijn dood maakte daar geen einde aan. Maar: 'Ik realiseerde me door zijn dood dat ik zó beschermd ben geweest. Zo gewend aan die onvoorwaardelijke liefde. Ik was nog zo lang kind geweest – kindvrouwtje. Allemaal heel lief en heel braaf. Vanaf mijn veertigste ben ik eindelijk gaan groeien, heb ik mijn mening leren geven.'

Haar leven ging verder zonder haar vader. In tegenstelling tot dat van haar moeder, voor wie Alberti's dood totaal onaanvaardbaar was. Meer nog dan in Willekes leven, was hij de kern, de spil waar alles om draaide. Ria zou de rest van haar leven, zesentwintig jaar, in dienst stellen van de herinnering aan haar man. Ze zou ervoor zorgen dat niemand hem vergat. Na haar dood nam broer Tonny die taak in zekere zin over, hij maakte een prachtig boek, *De glimlach van een kind - van levenslied tot opera*, over zijn vaders leven.

Dat niet alleen, Tonny was ook degene die Willeke ging begeleiden toen ze weer begon op te treden. Hij was haar manager en reed met haar naar haar concerten.

'Hij droeg de ring van mijn vader, en als hij achter het stuur zat en ik die ring zag glimmen in het donker, dan voelde het weer net zo veilig als toen mijn vader nog leefde.'

De 'Alberti-clan' zou de dood overleven door middel van het lied.

HERINNERING

Zoveel dingen die me denken doen aan jou
Al ben je weg
Ik sluit mijn ogen, je bent terug

Dan beleef ik alles weer in vogelvlucht
Er is onmacht als het leven niet meer leeft
Onverwachts
En dan sta je daar alleen
Maar de kracht van vriendschap sleept je daar doorheen
Ik had nog zoveel te vragen
Er was nog zoveel te doen
Wat ik mis is je warmte
Je complimentjes... Die onverwachte zoen!

Ook al voel ik jou nog altijd om me heen
Ieder uur, ieder moment
Maar datgene wat nooit went
Is het feit dat jij hier niet meer bij me bent
Ik had nog zoveel te vragen
Er was nog zoveel te doen
Wat ik mis is je warmte
Je complimentjes... Die onverwachte zoen!

Zoveel dingen die me denken doen aan jou
Al ben je weg
Ik sluit mijn ogen, je bent terug
Dan beleef ik alles weer in vogelvlucht

(tekst: Tony Anderson, muziek: Mike Batt)

'Ik heb zijn stem nog,' zegt ze, knikkend naar de cd-speler in haar prachtige auto. We rijden haar straat uit: de stille groene laan in het Gooi, op weg naar de A2, naar Amsterdam. Het dashboard, met een enorme TomTom, geeft precies aan waar Willeke is en waar zij heen gaat. Wie van het rechte pad af gaat krijgt te horen dat-ie een U-bocht moet maken. De weg terug naar 'huis', waar de Westertoren staat, is onontkoombaar. We rijden terug in de tijd, dus, en we hebben het over Willy Alberti. Willeke is nu tien jaar ouder dan hij was toen hij stierf.

'Ik draai nog steeds zijn cd's. Mijn vader had een lyrische tenor, een prachtige stem.' Dat is ook zo. Vooral wanneer hij Italiaans zingt valt op hoe helder en zuiver Alberti zingt, hoe hij zichzelf niet alleen die taal maar ook de passie en het timbre had eigen gemaakt. Die kleine jongen uit de Jordaan. En nu draait zijn dochter de snelweg op, en rijden we terug naar hun beider geboortestad.

Een leven als een lied

WILLEKE
ALBERTI

TERUG NAAR DE JORDAAN

Vandaag is een repetitiedag van de musical *De Jantjes* en Willeke
speelt Na Druppel, de morsige dronken vrouw op leeftijd die ooit
op de grote podia stond als gevierde zangeres, maar verliefd werd
op de verkeerde man en vervolgens geen carrière meer had. Dat
is niet op Willekes leven gebaseerd, dat is een rol die al voordat
zij geboren werd bestond. Heintje Davids en Beppie Nooij senior
gingen haar voor. Het stuk stond al in 1920 in het theater. Het is
een zeemansverhaal, waarvoor de vrouw van de schrijver, Herman
Bouber, begin vorige eeuw de Jordaan in ging om Jordanese
woorden af te luisteren. Die woorden kent Willeke natuurlijk al
van huis uit, en ondanks haar inmiddels keurige ABN, kan ze nog
rustig een blik opentrekken.

'Krijg de koors, kolerelijer,' zou haar moeiteloos over de lippen
rollen als we de filestrook op willen en van links afgesneden
worden. Ik kijk opzij, naar haar handen. 'Ik heb lelijke dikke
handen, altijd gehad.' En haar profiel weerspiegelt in het auto-
raam: nog altijd jong, nog steeds geen lallende onderkinnen, geen
pelikaan. Waar is Na Druppel in haar, waar haalt ze die op het
toneel vandaan?

'Mijn oma Fietje, straatarm net als wij allemaal, was garnalenpel-
ster voor de visboer en uiensnijder voor de groenteman. Ik zie haar
nog zitten op haar stoel naast de voordeur in de Laurierstraat.
Ze kon kilo's garnalen pellen zonder er eentje te breken, en uien
snijden zonder een traan te laten. Er hing alleen altijd een druppel
aan haar neus, die er nooit vanaf viel.
Als ze me zag staan kijken, zei ze: "Witje, ik ga zo een taartje voor
je maken." En dat was het lekkerste taartje dat je je maar kon voorstellen: een dikke witte boterham met margarine en suiker, met
een bijsmaakje van garnalen en uien.'

We glijden Amsterdam in, soepel als een aal in een emmer snot
rijden we de nauwe parkeerruimte voor het repetitielokaal op.
Zo, de grande dame is gearriveerd. Maar van kapsones is geen
sprake. Integendeel. Het lijkt alsof ze, met haar rieten mand
aan haar arm tussen al die acteurs door schuifelend, eerder het
vrouwtje van de koek-en-zopie is. Ze mag dan onmisbaar zijn,

ze heeft zelfs geen alternate meer, omdat, en dat geeft ze slechts met grote verlegenheid toe, de mensen hun geld terug wilden als Willeke Alberti een avondje vrij had.

Dus nu, na honderdvijftig voorstellingen van de vorige tournee, volgen er nog tachtig waarbij ze écht niet ziek of verhinderd kan zijn. De jonge castleden zingen en dansen zich vast warm. We zijn in een warm bubbelbad van talent en ambitie gestapt, het spettert ervan. Het orkest is er niet bij, alleen de piano begeleidt ze, maar daarom is het genot alleen maar groter voor iemand die van samenzang de tranen van ontroering krijgt, overspoeld door een zee van emotie. Ik zit al met water in mijn duikbril voordat de repetitie goed en wel begonnen is.

Willeke heeft een lange rok aan om alvast het Na Druppel-gevoel te krijgen. Maar Arie Cupé, die haar partner de Mop speelt, hoeft haar maar aan te kijken tijdens hun scènes, of er is geen Willeke meer maar een Jordanese straatzangeres.

Van oorsprong was *De Jantjes* een toneelstuk, maar Louis Davids en Margie Morris brachten in 1934 de liedjes 'Omdat ik zoveel van je hou' en 'Draaien, altijd maar draaien' naar *De Jantjes* en Willeke voegde daar nog eens 'Onder de bomen van het plein' aan toe: een liedje dat haar vader altijd zong. De liedjes lijken te zijn samenge-smolten met het stuk.

Na deze tournee zal de musical op gebod van de erven vijftien jaar lang niet meer opgevoerd mogen worden. We kijken dus waar-schijnlijk naar een stukje Nederlandse cultuur dat na deze tournee weer terug in de oude doos zal worden gestopt. Willeke danst, zingt, lacht, of zit verveeld een appel te eten terwijl Paul van Ewijk, de regisseur, een scène waar zij niet in zit onder handen neemt. Hij kneedt, zoekt, vindt, verliest en vindt weer. Hij stuurt de twee jonge acteurs zo naar de beste manier om de scène te spelen. Iedere emotie, ieder klein gebaar en iedere oogopslag wordt uitge-probeerd. Er zal straks niemand in de zaal zitten die dat weet. Het publiek zal het allemaal als volkomen naturel ervaren. Maar iedere centimeter is gepland. Als er een half uur verdwijnt met een discussie over een stapje naar links of een stapje naar rechts, en choreograaf Barrie Stevens het kringetje drie keer rond is, klinkt er een diepe zucht naast me. De regisseur Paul en ik kijken allebei naar Willeke, de brug der zuchten. Paul buigt zich naar me toe: 'Als je nog geen titel hebt voor je boek over Willeke, moet je deze nemen: "Je moet het niet doodrepeteren."' O ja? Hoezo?

Alsof ze het heeft gehoord zegt Willeke met nog een diepe zucht, klaar met de appel en klaar met het lange wachten: 'Paul, je moet het niet doodrepeteren hoor!' Dat schijnt ze haar hele leven al gezegd te hebben. Logisch, want haar spontaniteit zou in een diep graf vallen, haar natuurtalent zou verstikken door te veel herhaling. Haar moeder vond haar een betere actrice dan zangeres, en ook al is dat gezien door moederogen vanuit het moederschip, toch is het echt waar dat Willeke haar rollen niet speelt maar lééft.

Als Willeke acteert ziet het eruit alsof zij ter plekke, zonder enige voorkennis, haar tekst bedenkt. Voorwaarde is wel dat ze die tekst moet kunnen drómen. Nog een voorwaarde is dat ze het, inderdaad, niet zo vaak moet repeteren dat er niets nieuws meer aan is. Het moet klinken als een onbekend liedje, ruiken naar een pasgeverfd huis en eruitzien als een groen blaadje. Het acteren is vast een levenslange oefening in geduld voor haar, omdat repetities nu eenmaal langdurig zijn, helemaal met nieuwe acteurs in nieuwe rollen.

Als we na de lunch met koffie en eierkoeken – want er moet vijf kilo af en sinds Weight Watchers eet iedereen eierkoeken – terugkeren in het grote lokaal met de spiegelwand en de piano, is er een doorloop van de eerste helft.

Willeke staat naast een lantaarnpaal op wieltjes, in een grote ruimte vol tafels en stoelen onder de tl-buizen. Zodra de piano begint te spelen en ze omhoogkijkt, verandert het licht in dat van een echte lantaarn bij nacht, zijn de tafels en stoelen ineens de huizen van de Jordaan, en zie je Na Druppel op de keien staan. 'Onder de bomen van het plein,' zingt ze. Zonder microfoon, gewoon met alleen de piano, zonder make-up, 'maar wel een beetje jongrood op m'n wangen gesmeerd', zingt ze het liedje dat haar vader altijd zong. Zijn stem is niet alleen te horen op zijn cd's. Ze hoort hem nu ook. Hij zingt de tweede stem in haar hoofd, en zij de eerste.

Met open armen en in een prachtige avondjurk verwelkomt
Willeke haar publiek

ONDER DE BOMEN VAN HET PLEIN

Wij trekken vaak naar vreemde landen
En breken tijdelijk alle banden
Voor de emotie van de reis
Wij weten heel veel te verhalen
En kunnen bonte beelden malen
Van Londen, Rome of Parijs
Maar gaan we rustig vergelijken
En alles nuchtertjes bekijken
En zijn we niet door schijn verblind
Komen we vaak tot de conclusie
Wij zoeken ver naar een illusie
Die je vlakbij zo dikwijls vindt

Onder de bomen van het plein
Daar kan je zo gelukkig zijn
Onder het dak van bladerengroen
Daar bij het hekje van het plantsoen
Onder de bomen van het plein
Daar ligt een paradijsje klein

En uit het diepst van mijn gemoed
Zend ik uit verre land een groet
Aan jou, mijn Rembrandtplein

Ook zit ik hier in verre oorden
Het is mij zo vreemd, ik zoek naar woorden
Om uit te spreken wat mij kwelt
Vaak in mysterieuze nachten
Dan zit ik eenzaam in gedachten
Terwijl het verleden langs mij smelt
Ik zie weer voor mijn geest verschijnen
De plekjes die nu gaan verdwijnen
Ter wille van het stadsverkeer
Maar laat één plekje ongeschonden
Waaraan veel dierbaars is verbonden
Uit mooie uren van weleer

(tekst: Chef van Dijk, muziek: Max Tak)

VAN MONACO NAAR BELGIË

Kort na het overlijden van haar vader – ze was nog diep in het rouwproces – hoorde Willeke dat Sören weg wilde uit München. Zijn contract liep af en hij koos ervoor om naar Monaco te gaan. Ze kenden het rijke staatje aan de Middellandse Zee van heel fijne, korte vakanties uit het verleden, maar om daadwerkelijk op die apenrots voor miljonairs te gaan wonen, dat was toch weer iets anders.

'Ik zag vreselijk op tegen de verhuizing. Ik heb nog geprobeerd om het Sören uit zijn hoofd te praten met de hulp van Uli Hoeness van Bayern. Maar ja, het ging om het geld, natuurlijk. Altijd dat geld.' In Monaco zat Willeke tijdens een welkomstdiner op het strand tegenover prins Rainier, nog net geen voetje te vrijen, maar wel leuk oogcontact te hebben. Ze is niet echt een mens voor etiquette: wachten tot de prins eet voordat jij eet, wachten tot hij jou toespreekt in plaats van zelf een gesprek te beginnen. Maar ze redde zich prima en bovendien was prinses Gracia een van haar grote idolen geweest: het gewone meisje dat met Rainier was getrouwd, het sprookje dat echt leek te bestaan. Tot haar dood dan. 'Rainier was charmant, en qua postuur leek hij op mijn vader. Bovendien had hij humor. Toen hij opstond zei ik: "O, wilt u met mij dansen?" "Nee," zei hij, "ik wil alleen maar weg." En hij niet alleen. Voor Sören was er niet veel te beleven, de tribunes in Monaco waren leeg en hij kreeg uit pure frustratie de ene blessure na de andere. Want dat gebeurt er als je niet happy bent.'

Willeke zag Sören niet vaak, en ze voelde zich alleen. Ze kreeg meer en meer last van haar gezondheid. En toen nog geen jaar na haar vader haar goede vriend Willem Ruis plotseling overleed, was de maat vol.

'Toen Willem Ruis overleed – aan hartzeer, eigenlijk – was mijn vader nog niet zo lang dood. Het was erg snel achter elkaar. Een heel zware tijd. We zaten daar in Monaco, in een koud huis. Ik had heel erg last van mijn hart. Steken, hyperventilatie – ik was al naar een arts gegaan. Toen kreeg ik ineens een kaartje. Met: 'Sorry dat ik je schrijf, maar ik had al een tijd een gevoel dat het niet goed ging met Willem Ruis. En daar heb ik niets van gezegd. En nu heb ik het gevoel dat het met jou niet goed gaat. Je moet Ignatia D6 gebruiken.'

Het kaartje was afkomstig van een onbekende vrouw uit Nederland, Berna Ooms. Willeke had haar nog nooit ontmoet, maar Berna was een helderziende, en Willeke dacht: baat het niet, dan schaadt het ook niet. Dus ze kocht het drankje van dr. Vogel, en het hielp.

'Onverwerkt verdriet kan van alles veroorzaken, meestal is het niet zozeer dat jij last hebt van je hart, maar dat je hart last heeft van jóú.

Misschien was dat het ook bij Willem. Zijn dood had alles te maken met die enorme klap van zijn scheiding. Hij was gek op zijn kinderen, en toen na zijn scheiding zijn zoontje bij zijn ex bleef en hij de twee meisjes meekreeg, was die breuk voor hem eigenlijk te veel. Hij kwam in die tijd veel bij ons. Sören vroeg zich af of-ie soms ieder weekend zou komen. Maar Willem was een soort broertje van me.

Hij kwam er echt niet meer bovenop. En tijdens een vakantie in Spanje viel hij op een ochtend gewoon dood neer.

Toen ik het hoorde dacht ik: nu wil ik terug naar Nederland.'

Tijdens de Midem, de muziekbeurs die ieder jaar in Cannes werd gehouden, raakte Willeke aan de praat met Ben Bunders. Hij was de directeur van een platenmaatschappij, maar ook een goede bekende in de voetbalwereld. Willeke opperde het idee dat het voor Sören misschien goed was om weer in Nederland te gaan spelen. Van het een kwam het ander en korte tijd later kon de familie Lerby opnieuw de koffers pakken: Sören om bij psv te gaan spelen en Willeke om een nieuwe plaat op te nemen.

Dat werd *Samen zijn*, geschreven door Tom Manders jr. en Peter van Asten. Dat samenzijn was niet in Nederland, maar in België, waar ze een huis net over de grens in Eksel kochten. Eksel was destijds zo'n belastingparadijs waar wel meer Nederlanders woonden die hun boodschappen in eigen land deden. Of in dit geval: Nederlanders die in Eindhoven moesten voetballen.

Sören ging alvast vooruit om te gaan trainen bij psv, hij was degene die het huis uitzocht. Niet het soort huis waar Willeke voor was gegaan.

'Ik was er helemaal niet blij mee. Het had zo'n enge sfeer. Er was daar iets gebeurd en dat voel je zodra je zo'n huis binnenkomt. Een soort Dutroux-gevoel. De vorige eigenaar zat in de gevangenis. Wat hij had uitgehaald was niet helemaal duidelijk, maar de muren spraken er nog van en daar veranderde geen pot verf of verbouwing iets aan.'

Willeke voelde zich er nooit op haar gemak, ook al deed ze haar best om er een gezellig gezinsleven in te richten, met avondjes voor de tv in pyjama en zelf lekker thuis koken.

De reis van Monaco naar Eksel werd nog eens dunnetjes overgedaan voor de tv-special *Samen zijn* rondom Willeke. Producent Tom Manders jr. maakte er een gedenkwaardige trip van, waarin Willeke met een bmw-cabriolet door Frankrijk naar België reed, en onderweg steeds mensen uit haar verleden ontmoette. Zo stond Mies Bouwman in Parijs op haar te wachten, John Leddy in een kasteel, Willem Duys bij een pompstation, André van Duin in de studio en Jeroen Krabbé deed ook mee.

'André is me vanaf het moment dat hij ontdekt werd in onze *Zaterdagavondshow* altijd heel dierbaar geweest. Hij ving mij en de kinderen op in de tijd na de scheiding van John, en hij zong nu "Vrienden blijven doen we altijd" met me. De crew bestond uit tien mensen, onder wie mijn producent Peter van Asten, die de mooiste liedjes voor mij gemaakt heeft. De laatste stop die we op de trip maakten was in Blaricum, bij Rust Wat, waar ik nu nog steeds graag kom, om aan het meertje te zitten en lekker te eten. Ooit schaatste ik over dat meertje als jonge vrouw, en nu zie ik hoe de waterlelies op het stille water drijven, in volmaakte rust.

Voor de tv-special die we maakten, zong ik er "Samen zijn" onder een prachtige sterrenhemel. Deze *trip down memory lane* had wat mij betrof daar mogen eindigen. Maar ja, we woonden in Eksel, dus ik moest weer terug in de auto, want Tom Manders zou me thuisbrengen na de opnames. Kon ik m'n eigen huis niet eens vinden! Ik woonde er ook nog maar zó kort. Maar goed, als je voor de derde keer bij snackbar Het Verloren Hoekje bent gestrand, misschien zegt dat dan toch iets. We maken zo vaak vreemde cirkels in ons leven, voordat we écht thuiskomen.'

Sören voetbalde voor PSV, en alsof Willeke hem geluk bracht, werd de club dat jaar landskampioen, zoals ook Ajax dat werd in het jaar dat Willeke Sören ontmoette. Intussen trouwde haar dochter Daniëlle ook nog met háár voetballer: John van 't Schip. De Alberti's waren aldus een voetbalfamilie geworden.

'Wij waren dat eigenlijk altijd al. Mijn vader was de grootste Ajacied en stapelgek op Sören. We zongen in het stadion, we maakten het afscheid van Cruyff mee en ik heb alle voetbalvrouwen gekend, van tante Sien van de kantine bij Ajax tot PSV toe. PSV is nog steeds hartstikke blij met me, ik word behandeld als de koningin als ik daar binnenkom. Hoe we destijds werden ontvangen bij PSV was geweldig. We hebben er alles gewonnen wat er te winnen viel. Ik heb aan de tijd dat Sören er voetbalde de meest dierbare herinneringen en heel veel vrienden overgehouden, zoals Dien en Jantje Louwers. Ik zal nooit vergeten hoeveel ze voor ons betekend hebben, toen Sören op een dag opgepakt werd.'

Toen Daniëlle in 1989 een zwangerschapstest deed, was Willeke bij haar in Nederland. Het was een van die moeder-dochtermomenten waarbij het leven ervoor zorgt dat je in een nieuwe rol tegenover elkaar staat: Daniëlle aanstaande moeder, Willeke aanstaande oma.

De moeder die nooit ongedwongen met haar dochter had kunnen winkelen omdat ze op straat herkend werd en alleen binnenshuis zichzelf kon zijn, en de dochter die keer op keer haar eigen verdriet opzij had gezet om haar beroemde moeder niet in de weg te zitten, vonden elkaar weer.

JIJ EN IK ZIJN SAMEN ÉÉN

Jij en ik zijn samen één
De hele wereld tegen ons is geen probleem
Als iedereen je soms vergeten is
Zeg ik: Reken alsjeblieft op mij
Zeg, weet je nog, dat circus met die leeuw

's Nachts werd je wakker met een schreeuw
Jij vond 't fijn dat ik 'r was, iemand heel dichtbij
Iemand in je buurt die je kon troosten en die zei:
Jij en ik zijn samen één
De hele wereld tegen ons is geen probleem
Want als ik 't niet meer zag
Maakte God van elke nacht
Een nieuwe dag
En, als een van ons moet gaan
De ander zal alleen komen te staan
Toe, herinner je, als troost van mij
Er is er toch maar een, en dat ben jij
Denk dan even, al ben je dan alleen
Jij en ik zijn samen één

En, als een van ons moet gaan
De ander zal alleen komen te staan
Toe, herinner je, als troost van mij
Er is er toch maar een, en dat ben jij
Denk dan even, al ben je dan alleen
Jij en ik zijn samen één

(tekst: Gerrit den Braber, Paul Hamilton Williams, muziek: Kenneth Lee Ascher, Paul Hamilton Williams)

Tijdens de weeën bleef Willeke bij haar dochter in het ziekenhuis in Naarden. John van 't Schip was vlak daarvoor weggeroepen om een interlandwedstrijd te spelen, en of hij op tijd terug zou zijn hing af van Sören, die aan alle touwtjes trok die hij kon vinden. Tegen de tijd dat de baby werd geboren zat het hele ziekenhuis vol met vaders, moeders, tantes, ooms, broers en zusjes, iedereen was op tijd om Davey welkom te heten in de wereld.
'Ik was voor het eerst van mijn leven oma!'

Zo veel geluk kan bijna niet bestaan zonder keerzijde. Zonder zwart bestaat er geen wit, immers. Met nog een Edison in haar hand voor *Dit is Willeke*, stralender dan ooit tevoren, leek het even allemaal te mooi om waar te zijn. En dat was het dus ook. Op een dag in 1990, toen Sören aan het trainen was en Willeke thuis bezig was met nieuwe liedjes voor een nieuwe plaat, werd Sören gearresteerd op verdenking van transferfraude. Het kwam als een donderslag bij heldere hemel.

'Hij werd gewoon van het trainingsveld geplukt. Alsof hij een misdadiger was. Het was een fraudezaak die met Ajax te maken had, ze hadden gewoon een zondebok nodig. Och, wat was die jongen kapot, terwijl hij zich echt van geen kwaad bewust was. Hij is voetballer, ik ben zangeres, en als je mensen hebt die alles voor je regelen... Hij werd zo in de gevangenis gestopt en dagenlang verhoord. Ik heb helemaal geen verstand van constructies of zo, ik betaal gewoon mijn belasting en ben nooit bezig geweest met die blauwe enveloppen. Als ik veel moet betalen, heb ik veel verdiend, denk ik dan. Cijfertjes interesseren me niet.

Het oppakken van Sören was het ergste wat ik ooit heb meegemaakt. Het heeft veel mensen het leven gekost, hoeveel koppen zijn er niet gevallen in hoeveel gezinnen, bij hoeveel bekende en onbekende Nederlanders?'

Sören kwam na een paar dagen thuis. De zaak werd na grondig onderzoek afgerond met de vrijspraak van Lerby. Ajax kreeg een boete van 2 miljoen. Maar achter dat bedrag lag het menselijk drama dat veel langer zijn impact had op de levens van alle betrokkenen. 'Bij ons ook. Het heeft ons uiteindelijk ons huwelijk gekost.'

Na die zaak heeft Sören zo veel last gekregen van blessures, die natuurlijk een weerspiegeling waren van zijn aangetaste gevoel van eigenwaarde, dat hij uiteindelijk stopte met voetballen. In plaats daarvan werd hij trainer. Zijn werk bracht hem naar Duitsland, terwijl ik in Eksel bleef wonen.

Toevallig bleek dat ook Willy van Hemert, mijn regisseur en "ontdekker", met zijn nieuwe vrouw Cootje in het dorp woonde. Een hernieuwde vriendschap was het gevolg. Vriendschap waaraan Willeke veel behoefte had, want de afwezigheid van Sören werd afgewisseld met spanningen wanneer hij er wel was.

'Dan stond ik thuis te zingen, nieuwe liedjes te oefenen uit volle borst, midden in de kamer, en dan kwam Sören binnen en zette zonder pardon de muziek uit. Hij had niets met mijn werk, geen enkele interesse. En ook niet met de mensen met wie ik werkte. Ik kreeg last van mijn rug, voelde me oud. Een homeopaat die ik bezocht, zei dat ik te veel op mijn schouders had genomen, dat ik letterlijk gebukt ging onder de zorgen.'

WAAR IS DE ZON?

Op zo'n zwaar punt in haar leven kwam toevallig ook net de vraag van Paul de Leeuw: of ze voor het Eurovisiesongfestival van 1994 wilde uitkomen voor Nederland.

Paul was een groot fan van Willeke, al was zijn bewondering er eentje waar ze voor gewaarschuwd werd. Want was ze leuk 'camp' voor hem, of was ze zo'n naam op een voetstuk die je met veel cynisme in het stof laat bijten? Ze kende Paul al voordat hij met zijn songfestivalverzoek kwam. Hij had een radioprogramma bij de VARA en was berucht om zijn scherpe tong, zijn humor die koppen afbeet. Willeke was zo moedig geweest om in zijn tv-programma te verschijnen en merkte dat na afloop haar hoofd er nog op zat. 'Zijn cynisme was niet ten koste van mij gegaan, ik merkte dat we een klik hadden en wederzijds respect. Misschien hielp het dat ik gewoon mezelf ben, en me niet groter voordoe dan ik ben.' Het klikte zo goed dat ze even later de studio in doken om 'Gebabbel' op te nemen, wat een grote hit werd.

GEBABBEL

Het is zo vreemd,
ik weet niet wat me overkomt vandaag
Het is alsof ik je weer zie voor de allereerste keer
Alweer gepraat, meer gepraat, gepraat
Ik weet niet hoe ik het je moet zeggen
Alleen gepraat
Maar je bent voor mij die prachtige liefdesgeschiedenis
Je volst gepraat, gepraat, dat snel vergaat
Waarin ik nooit op kan houden met lezen, jij, jij bent gisteren
Zo snel vergaat
Jij bent morgen en altijd, altijd m'n enige waarheid
Het is voorbij de tijd van dromen, woorden vergaan in de wind
Waar niemand ze vindt
Jij, jij bent als de wind die de violen laat zingen en het parfum
Van de rozen ver met zich meedraagt

Karamel bonbon en chocola
Soms begrijp ik je niet weet je dat
Hoeven niet voor mij, had daarvoor maar een ander gekozen
Die houdt van wind en 't parfum van rozen
Voor mij ligt al dat gepraat over smart
Lekker in je mond maar ik voel niks in m'n hart
Ik wil je nog een ding zeggen Willeke
Gebabbel gebabbel gebabbel
O ik wil een man ik wil een man
Telkens weer
Je hoofd weer op m'n schouders
Dag ouwe huis
Gebabbel en verder hete lucht
Dit is mijn lot
Mijn bestemming om tegen jou te praten
Alsof het voor het eerst is
Alweer gepraat, alleen gepraat, tragisch gepraat, niets dan gepraat
O waarom begrijp je me niet zoals ik ben
Alleen maar gepraat
Pak een zweepje
Magisch gepraat, tragisch gepraat, dat nergens op slaat
Niemand slaat z'n eigen kind alleen
Nergens op slaat
Jij bent mijn enige verdriet en mijn enige hoop
Als je zover bent houdt geen mens je meer tegen
Maar ik zit enkel en alleen om stilte verlegen
Jij bent voor mij de enige muziek die de maan en de duinen laat dansen
Karamel bonbon en chocola
O ik bouw het liefst een muurtje om je heen
Laat daar maar een ander in tuinen
Die gek is op de maan en op de duinen
Voor mij ligt al dat gepraat over smart
Lekker in je mond maar ik voel niks in mijn hart
Nog een woord, nog een woordje maar
Gebabbel
Morgen ben ik jouw bruid

Vriendje mag ik even met je praten
Jij en ik op de psv tribune
O spiegelbeeld
Ben ik net zo dik als toen
Ik wil jouw eppo zijn
O fijn gevoel Wil
Bedankt
Je kietelt me, nou hou op
Hou op ik ga je moeder bellen hoor

(tekst en muziek: Giovanni Ferrio, Paul de Leeuw,
Cees Nooteboom)

Op die nieuwe cd van Willeke kwam ook het nummer 'Geboorte-bericht', speciaal gezongen voor Daniëlle, te staan. 'Sören vond het helemaal niets, dat ik een liedje zong vanuit een oma. Misschien vond hij zichzelf en mij nog te jong voor zo'n "oude" tekst in mijn repertoire. Maar het liedje was het resultaat van een van de mooiste momenten in mijn leven.'

De Van 't Schipjes, dochter Daniëlle en haar gezin dus, woonden intussen in Italië. Voetbalfamilies zijn als vlinders: nooit lang op één plek en heel seizoensgebonden. Dat leven was voor Willeke normaal gesproken geen probleem, maar nu wel een beetje, want Daniëlle stond op het punt om te bevallen.
'Daniëlle was zwanger van haar tweede kindje, toen ik het aan haar liet horen. Ik zal het nooit vergeten, hoe ze met haar prach-tige dikke buik bij mij op schoot kwam zitten, terwijl ik het haar liet horen. Daniëlle is veel langer dan ik, dus ik zat daar met mijn armen vol wonder en liefde, zo ontroerd en dankbaar.'

GEBOORTEBERICHT

Zacht schijnt het zonlicht op het poppengezicht
Ik weet die tijd is voorbij
Ik zie in de kranten het geboortebericht
En haar mama dat ben jij
We hebben elkaar niet vaak begrepen
Zonder elkaar geleefd
Maar ik hoop dat je mij vergeeft

Ik zou je zo missen
Als ik je nooit meer zag
Je huis niet binnen mag
Ik mis die kleine meid
Die nog maar heel pas leeft
En sinds vandaag de naam van oma heeft

Kan je nummer wel dromen
Ik heb het vaak geprobeerd
Ik hoop dat ik het ooit aankan
Mag ik nog komen
Ik heb mijn lesje geleerd
Wie weet, komt er iets moois van
Wat was het toch wat mij bezielde
Niet simpel mezelf te zijn
Oh wat was er toch fout met mij

En sinds vandaag de naam van oma heeft
De telefoon wordt opgenomen
Ik had bijna neergelegd
Maar ineens een stem die zegt

Ik zou je zo missen
Als ik je nooit meer zag
Je huis niet binnen mag
Ik heb een kleine meid

Die ik zo graag alles geef
Die sinds vandaag een echte oma heeft...

(tekst en muziek: Jeroen Englebert, Petra Burger)

Op 5 april 1992 werd Estelle van 't Schip geboren.
'Je realiseert het je niet als je kinderen eenmaal het huis uit
zijn, hoe intens belangrijk het is dat je er als moeder bij bent, op
momenten als deze,' zegt Willeke.
Ze ging drie weken bij Daniëlle in Italië logeren, zodat haar
dochter niet alleen zou zijn als de weeën begonnen. Deze tijd
bracht moeder en dochter, in hun vrouw-zijn en in hun liefde voor
het nog ongeboren kindje, heel dicht bij elkaar. Maar Willeke was
niet de enige oma die aanwezig was bij de bevalling. Oma Riet van
't Schip was er ook bij. 'Om die ervaring te delen met elkaar is zo
bijzonder. Het zijn je kinderen die daar op dat moment papa en
mama worden. Dat maak je samen mee en dat geeft je vriendschap
een gouden randje.'
De laatste dagen lag Daniëlle in een privékliniek van de nonnetjes,
en ik was iedere dag bij haar. Om je eigen dochter te zien bevallen
is zo'n aangrijpend en wonderlijk iets, dat is niet te beschrijven. Ik
zag het kindje komen en was de eerste die het vast mocht houden.
De geboorte van Estelle, mijn eerste kleindochter, was net zo mooi
als de geboorte van mijn eigen kinderen.'

In de zomervakantie van dat jaar waren Sören en Willeke op visite
bij Paul de Leeuw en zijn partner in Frankrijk, toen Paul met het
voorstel kwam om Willeke naar het songfestival te sturen.
De waardering voor het Eurovisiesongfestival was in Nederland
nogal laag, maar nadat Ruth Jacott het jaar ervoor succesvol had
meegedaan en Paul de Leeuw daarbij het commentaar had gele-
verd, was het stof er afgeschud en hadden de mensen meer belang-
stelling voor het festival gekregen.
Misschien was het niet meer die oudbakken liedjesshow, waaraan
geen enkele zichzelf respecterende artiest wil meedoen. Misschien
was het wel een prima manier om je comeback te maken, op een

internationaal podium voor miljoenen kijkers.

Ze zei ja, gewoon, omdat het haar leuk leek. Harry van Hoof en Ruth Jacott bepaalden mede welk liedje geschikt was voor Willeke, en uit honderdtwintig stuks koos zij zelf de acht die zij het mooiste vond. Daarbij zat 'Waar is de zon', geschreven door Coot van Doesburgh en Edwin Schimscheimer.

Het jaar daarvoor had een Ierse zangeres gewonnen, terwijl Johnny Logan, 'mister Eurovision', het ook al drie keer voor zijn land had gedaan, met 'What's Another Year','Hold Me Now' en het door hem geschreven 'Why Me'. Zijn integere nummers waren moeiteloos doorgedrongen tot de harten van de vele landen die deelnamen. Een waarlijk miljoenenpubliek had de doorsnee-kermismuziek aan de kant geschoven voor een echte, goede song. Het songfestival was al lang niet meer de plek voor de gelegen-heidsgroepjes of de ouderwetse vedettes van dertig jaar geleden.

Het was ook niet de plek voor een zangeres die weliswaar bekend was in eigen land, maar daarbuiten alleen een dame van middel-bare leeftijd met een langzaam op gang komende ballade, hoe mooi 'Waar is de zon' ook was, en hoe jong Willeke er ook nog uitzag, met haar negenenveertig jaar.

Willekes optreden werd in Nederland ook bekritiseerd, maar dat had niet eens zozeer met 'het lied' te maken, als wel met het gedoe rondom 'de jurk'.

O, die jurk! Normaal gesproken werd Willeke gekleed door topont-werper Addy van den Krommenacker, maar voor deze keer was ze – als Belgische inwoonster, of gewoon voor de afwisseling – gegaan voor een Vlaamse modeontwerper.

Er waren twee creaties: een korte okergele van suède – 'daar lapte mijn moeder vroeger de ramen mee,' zei Paul de Leeuw – en een lange met een glitterende schouderpartij. De discussie welke jurk ze moest dragen leek het muzikale deel van de avond bijna te over-schaduwen.

En dat terwijl ze dankzij Addy al eens tot de best geklede vrouw van het jaar was uitgeroepen. Het pleitte voor hem dat hij ondanks alles met haar meeging naar Dublin om ervoor te zorgen dat ze er zo goed mogelijk uitzag.

Willeke vond het, met getut en al, toch hartstikke leuk om mee
te doen. Ze werd gevolgd door een cameraploeg vanaf het vertrek
uit België tot en met de generale repetitie in Dublin. Eerst in haar
auto, toen in een koetsje, toen in een bus door de Ierse stad. Ze
luisterde blij als een kind naar Johnny Logan: 'Helaas, ik weet
niet wat het geheim is van het winnen van het songfestival. Zing
maar gewoon zo goed als je kan.' Paul de Leeuw: 'Ze is klein hè,
in het echt? Je denkt: daar komt een kaboutertje, is het Willeke.
's Morgens is ze zó klein, maar na drieën is ze een halve meter
groter. Maar ze gaat elke keer twaalf punten halen, zeker!' En
een waarzegger met een glazen bol: 'Ik zie u in een wolk van mist
staan, de afgelopen twee jaar en vier maanden, maar er zullen
zich nieuwe mogelijkheden voordoen. En het zou me niet verbazen
als u het songfestival wint. Dus wees daarop voorbereid. Ik zie u
omgeven door bloemen.'

Sören, die dol was op Paul de Leeuw en het hele avontuur net zo
leuk vond als zij, was op de dag van het songfestival om zes uur
gewoon gaan golfen. John de Mol senior, de mannelijke steun in
haar leven, waarschuwde haar: 'Je zou ook wel eens onderaan
kunnen eindigen. Hou daar ook rekening mee.' Het was goed
bedoeld, maar Willeke vond het op dat moment zó vreselijk negatief klinken.
'Achteraf was ik er wel mee geholpen, ik was tenminste een klein
beetje voorbereid.'
Het mediacircus om haar heen gaf haar in de aanloop naar de
uitzending verder geen seconde de kans om zich te bezinnen op
welke tegenslag dan ook.
Ze zat in een stroomversnelling, terug naar het grootste podium
van Europa, haar stem was prachtig en als er iemand in staat is
om zonder zenuwen live te zingen, dan is zij het wel. Ze moest als
dertiende op, jawel, en stond voor de camera's voor wereldwijd
zo'n 300 miljoen kijkers.

'Daar lapte mijn moeder vroeger de ramen mee,' zei Paul de Leeuw

WAAR IS DE ZON

Waar ben je gebleven
Waar ging je naartoe
Ik heb nog geschreven
Maar nu ben ik zo moe
Ik had mij begraven
Ik was alles kwijt
Mijn veilige haven
Mijn vrede, mijn strijd

Waar is de zon die mij zal verwarmen
Waar zijn jouw armen en waar is de bron
Waar is het licht dat eindelijk zal schijnen
Dat de kou doet verdwijnen
Ik zoek jouw gezicht

De pijn is verdwenen maar de kilte die blijft
Ik wacht op dat ene dat de stilte verdrijft
Ik wacht op een teken, een stem of een woord
Die dit zal doorbreken als jij me maar hoort

En plotseling was jij daar, ik zag je weer gaan
Ik ging nog opzij maar jij bleef naast mij staan
Jij bleef naast mij lopen, je ging weer mee naar huis
Mijn hart ging weer open, ik voel mij weer thuis

Jij bent de zon die mij zal verwarmen
Jouw sterke armen die vormen mijn bron
Jij bent het licht dat nu weer zal schijnen
Dat de kou doet verdwijnen
Ik zie jouw gezicht

(tekst: Coot van Doesburgh, muziek: Richard de Bois,
Peter van Asten)

Ze zong het met de bekende twinkeling in haar ogen, spatzuiver en met de juiste dramatiek. Harry van Hoof dirigeerde en de jurk schitterde in het licht.

En toen was ze klaar en begon de eindeloze, zenuwslopende puntentelling. Willeke en Coot van Doesburgh kregen te midden van alle overspannen kandidaten de slappe lach met een glaasje bubbels in de hand. Het drong maar heel langzaam tot ze door dat hun liedje geen enkel punt scoorde.

Alleen Oostenrijk had medelijden, of hield gewoon van een dergelijk nummer, en gaf vier punten, waarmee de eer gered was en

Willeke in gesprek over haar musical

alleen Litouwen en Letland nog lager eindigden.

Willeke, na het zingen van 'Waar is de zon': 'Ik had het gedaan en ik had het idee dat ik had gewonnen, ik had het zo goed gedaan. De Engelse versie van het liedje had ik al op papier, in m'n decolleté. Ik ben gaan zitten bij al die andere collega's, en heb er helemaal niet meer aan gedacht dat er ook punten kwamen. Op een gegeven moment kreeg ik vier punten en dacht ik: ah jammer, want ik dacht: hoe minder punten je krijgt, hoe beter. Ik zat daar gewoon te praten met Coot. Edwin Schimscheimer, die ging helemaal kapot, maar Coot en ik, we lagen dubbel.'

Het volgende jaar zou Nederland dankzij deze lage plaats echter niet meer mee mogen doen.

Voor de meeste gevestigde zangers en zangeressen was het Eurovisiesongfestival een gevaarlijke onderneming, omdat je in drie minuten je naam kwijt kan zijn: een afgang voor 300 miljoen kijkers is niet iets wat je even onder het kleed veegt na afloop. Je zorgvuldig opgebouwde carrière kan zomaar het stempel van 'internationale miskleun' krijgen.

Willeke kwam aan op Schiphol en moest huilen toen ze de menigte zag die op haar stond te wachten om haar toe te juichen. Troost was er ook thuis, dankzij Kaj en Johnny. De jongens vonden de puntentelling heel onrechtvaardig. Kaj herinnert het zich nog heel goed. 'We hadden bij de overburen gekeken naar het songfestival. Ja, en als kind ben je dan gewoon verontwaardigd. We vonden het heel erg zielig voor onze moeder.'

Ze wachtten haar de dag erna op met een spandoek: 'Mam, jij blijft voor ons de zon.' En Paul de Leeuw belde de volgende ochtend met bezorgdheid en condoleances. Het was net of niemand het haar kwalijk nam, en zij gewoon haar volgende stap mocht maken. Een geweldig compliment dus. Neerlands geliefde ster mocht blijven stralen, ook zonder zon.

EEN MUZIKAAL STANDBEELD

'1995 het jaar van Willeke? Het lijkt er wel op. Een nieuw verzamelalbum, een oude hit van pa en dochter Alberti wederom in de hitlijsten en de première van de langverwachte theaterproductie *Willeke de musical*, of het moet te maken hebben met de vijftigste verjaardag van Willeke dit jaar...' (*Arnhemse Courant*)

HET WILLEKE-EFFECT GRIJPT JE NAAR DE STROT
SNOTTEREN BIJ WILLEKE DE MUSICAL
WILLEKE DE MUSICAL: 'HOLLANDSE STAMPPOT ZONDER
WORST'

Het script voor *Willeke de musical* werd geschreven door Gerard Cornelisse en Hans de Wolf, die daarmee aantoonden dat ook intellectuelen van liedjes houden die minder diepgang hebben, gewoon omdat ze ontroeren.

Het verhaal van de musical ging meermaals terug naar de tekentafel en veranderde van een soort *chorus line* van alle mannen in haar leven naar een sprookje met Lerby als prins op het witte paard.

Willeke was bij een van de eerste leesrepetities en werd kwaad toen er een paar onaangename dingen over haar vader werden gezegd. Daar waren de heren producers lang mee bezig, om die diepgaande emoties vervolgens weer te sussen. Teksten werden geschrapt, andere scènes toegevoegd.

De Volkskrant schreef:

'Tijdens de doorloop blijkt dat De Wolf nogal vrij met de werkelijkheid is omgegaan. Na een redelijk authentiek begin, wordt het een volkomen fictief verhaal over een zangeres die aan lager wal raakt en in een Antwerpse volkskroeg weer wat opkrabbelt. De kostuums van Yan Tax zijn in het begin prentenboek-vrolijk, B-filmjurkjes met Lassie-effect, petticoats en tweedelige badpakken. Gaandeweg komt het verdriet en worden het sombere broekpakken. In *Willeke de musical* gaan twee mensen dood.'

De première was op 28 januari in de Stadsschouwburg in Utrecht, die voor dit feest in een knalroze licht was gezet, met voor de deur een reuzentaart van roze en witte ballonnen. Kitsch of cult, camp of kunst, *toute* bekend Nederland stond op de rode loper: Henny Huisman naast Kees Prins, Henk Poort naast Loes Luca, The Blue Diamonds en Herman Stok, Matthijs van Heijningen en Michael van Praag, Robert ten Brink en Tom Egbers, Pleuni Touw en Hugo Metsers, Jeroen Krabbé en zijn Herma, Seth Gaaikema en Peter Post, Frans Weisz en natuurlijk alle roddelbladen en camera-ploegen van het hele land.

Willeke werd na afloop geciteerd: 'Ik ben blij dat ik vanavond geen seconde heb gedacht dat ik naar mezelf zat te kijken.' Maar dat was niet negatief bedoeld, dat was alleen omdat het verhaal zo afweek van het hare. Joop Oonk had zich allereerst kwaad gemaakt over de manier waarop hij ten tonele werd gevoerd, maar zijn dochter Daniëlle, die de voorstelling zag, kon hem troosten: ook Oonk was niet serieus geportretteerd.

Willeke was bijzonder onder de indruk van Joke de Kruijf, die haar persoon uitbeeldde. Want Joke zong geweldig en het was hoe dan ook een hele eer om een musical te hebben die naar je vernoemd is. 'Zoiets gebeurt toch meestal pas ná je dood.' Een musical die begon met een doodskist op het podium. Die kist was dan weliswaar die van haar vader, maar toch...

'Ik besefte ineens weer dat ík daar had moeten staan, op dat podium. Dat ik zelf nog leefde en kon zingen en dat ik niet in de zaal moest blijven zitten.'

Producent Hans Sleeswijk stelde daarna voor dat Willeke een grote show zou geven in Koninklijk Theater Carré, een concert dat zou worden opgenomen en op de tv uitgezonden.

Het was kort na haar vijftigste verjaardag, groots gevierd zoals dat hoort bij de dag waarop je Sara gezien hebt. Daniëlle, Kaj en Johnny hadden een prachtig lied verzonnen, Jeroen Krabbé en zijn hele familie waren er, zelfs de familie van Sören uit Dene-marken. De conferences, gekke filmpjes en toespraken vulden het huis en haar hart. Willeke en Sören woonden nog steeds in Eksel,

België. Willekes ex John de Mol en zijn vrouw kwamen nu en dan langs, en ook Johns ouders, Hannie en John senior, kwamen wel eens oppassen. Ze kwamen met hen golfen, ze hadden samen wedstrijden. De vriendschap tussen beide families was groot. Maar er klopte iets niet tussen Sören en Willeke.

'Toen er een aanvraag kwam van Hans Sleeswijk om een show in Carré te maken dacht ik: het is nu of nooit,' zegt Willeke.
De noodzaak om die stap te zetten was des te groter door de moeilijke tijden in haar privéleven. Het was zwaar weer in huize Lerby. 'Sören en ik... We waren uit elkaar gegroeid. Ik voelde iets, er was iets mis. Alleen begreep ik niet wát. Als een man verliefd wordt op een ander en er niet over praat, dan wordt alles wat jij doet slechter en lelijker, en je hebt geen enkele kans. Verliefd, bovendien op een vrouw die zesentwintig jaar jonger was dan ik. Tsja, we hebben het nog geprobeerd, we hebben het tenslotte ook goed gehad, bijna vijftien jaar. We hadden de ellende met die fraudebeschuldiging overleefd samen. Maar het was niet meer de oude Sören. Zijn eergevoel hadden ze hem afgenomen.
Hij was een van de beste voetballers, qua inzet, kracht, power, en een geweldige teamspeler. De echte jongens bleven overeind, de zwakkelingen vermorzelde hij. Tegen de tijd dat we gingen scheiden, zat hij als ondernemer in de vleesindustrie. Toen het misging, toen ik merkte dat het niet meer écht was wat ik voelde, heb ik Sören gezegd dat ik er klaar mee was. Natuurlijk waren we op dat moment niet thuis: de bom barst altijd als het helemaal niet goed uitkomt, voor niemand. We waren op vakantie in Portugal. We hadden daar een huis gehuurd en golfden daar, met onder anderen mijn ex John de Mol en zijn vrouw, en zijn ouders John senior en Hannie. De situatie tussen mij en Sören was van het ene op het andere moment onhoudbaar. Ik wilde weg, meteen, en ik ging. Sörens vader was er, en bleef bij hem. Ik had veel koffers, maar geen auto. En John haalde me op om mij, samen met Kaj, naar het vliegveld te brengen. Johnny bleef bij zijn vader en Els in Portugal. John heeft mij altijd met respect behandeld en nog steeds zijn Els en John mijn stille rotsen in de branding. Terug in

Eksel lag er een berg post op me te wachten: felicitaties met ons twaalfenhalfjarig huwelijk. Tsja. We hadden helemaal geen ruzie gehad. Misschien had ik wel gewoon getrouwd kunnen blijven. Omwille van de kinderen, had Sören gezegd, wilde hij dat dan wel. Maar daar voelde ik me toch te jong voor. Ik kreeg niet de liefde waar ik op gehoopt had. Ik dacht oud te worden samen met hem en de kinderen, maar er was iets kapotgegaan, zeker na de dood van mijn vader. Ik wilde voelen dat iemand onvoorwaardelijk van mij hield.'

Vanuit het spookhuis in Eksel verhuisde Willeke met behulp van haar ome Tonny en tante Beppie vliegensvlug terug naar Nederland.

'Die waren toch altijd al bij ons in Eksel, om op de kinderen te passen. Nu hielpen ze mij om een nieuw huis te vinden, voor Kaj en Johnny en mij in Laren.'

IK HUIL WEL ALS JE WEG BENT

Koffiekopjes staan er nog
Het jouwe naast dat van mij
Alsof het even vroeger is
Nog even niet voorbij
Probeerde ik al tijd te rekken
Verzin excuses elke keer
Dan trek jij je jas aan
En kust me voor de laatste keer

Ik huil wel als je weg bent
Mijn verdriet gaat jou niet aan
Ik huil wel als je weg bent
Als jij de deur hebt dichtgedaan
Ik huil wel als je weg bent

Koffie dronk je zonder iets
Donker, zoet en heet

En meer dan ik jou schenken kon
Hoe ik mijn best ook deed
Het onderste uit de kan wou jij
Ik, ik had geen keus
Omdat ik wilde blijven geven
Kreeg ik het deksel op mijn neus

Ik huil wel als je weg bent
Mijn verdriet gaat jou niet aan
Ik huil wel als je weg bent
Als jij de deur hebt dichtgedaan
Ik huil wel als je weg bent
De resten van jouw laatste zoen
Poets ik weg met tandpasta
Spoel jij zomaar door de afvoer weg
Mijn tranen achterna

Ik huil wel als je weg bent
Mijn verdriet gaat jou niet aan
Ik huil wel als je weg bent
Als jij de deur hebt dichtgedaan
Ik huil wel als je weg bent
Maar ik huil wel
Ik huil wel
Ik huil wel als je weg bent

(tekst en muziek: Jelle Kooistra, Belinda Obrecht, Henk Pool)

Johnny Lerby zou weer Johnny de Mol worden, al was het nog een heel gedoe, via de koningin zelfs, om zijn naam weer te veranderen in die van zijn echte vader.

Johnny vond het eigenlijk heel fijn om weer naar Nederland te verhuizen. De terugkeer naar zijn vaderland betekende ook nog, onverwacht, de terugkeer naar zijn vader.

Johnny kan het zelf het beste vertellen:

'Ik kende John eigenlijk nauwelijks. Was opgegroeid met Sören als vader en zag John alleen een enkele keer tijdens vakanties. Korte tijd nadat we terug waren in Laren, waar mijn moeder toen ging wonen, ben ik bij hem ingetrokken. Ik was zeventien en leerde hem nu pas echt kennen.' Wederzijdse kennismaking was dat. Zeventien is de leeftijd waarop iedere jongen natuurlijk lekker aan het experimenteren slaat met drank, drugs en seks. Johnny streek dus bij zijn vader neer als de zeven plagen van Egypte.

'En dat was niet altijd even makkelijk, maar uiteindelijk ging het goed. Ik begrijp trouwens heel goed waarom mijn moeder wegging bij Sören. Ze heeft de beste beslissing genomen die ze kon maken. Ik neem haar helemaal niets kwalijk.'

Willeke was terug in het Gooi, dicht bij de plek waar ze ooit op auditie voor *De Kleine Waarheid* was gegaan en waar ze vervolgens met alle drie haar echtgenoten gewoond had. Het dorp was haar nog altijd lief. Ze voelde zich er thuis.

Haar terugkeer moest niet alleen voor haar privéleven, maar ook professioneel een nieuwe start zijn. Dus de voorbereidingen voor de grote show die ze in Carré zou geven, begonnen direct. Tijdens de repetities bij Edwin Schimscheimer groeide haar zelfvertrouwen. 'Ik was dankzij Coot van Doesburgh en Edwin in een ander milieu terechtgekomen, wat muziek betreft. Een volwassener genre.'

Bij het horen van de muziek die voor de show gecomponeerd was, de schitterende ouverture, wist ze dat ze op de goede weg was. De eenzaamheid, het verdriet in de eenzame nachten zonder Sören, alle pijn werd verzacht door nieuwe plannen voor de toekomst. Er werd meteen een minitour aan de tv-opnames vastgeknoopt. Maar eerst moest ze de première doen: de show van haar leven geven. En dat was in deze emotionele tijd bijna een te zware opgave. Haar hart was gebroken, ze verweet zichzelf deze derde scheiding en maakte zich zorgen om haar twee jongens, Kaj en Johnny. Wat een moment voor een comeback, om in dat voetlicht te stappen en te hopen dat je publiek je nog waardeert! Ze wist dat ze nog kon zingen en vertrouwde er maar op dat ze ook nog kon stralen, hopelijk tot aan de laatste rij van het theater toe. Maar toen...

'Sören en ik hadden afgesproken dat als er een ander in ons leven zou komen, we dat eerlijk aan elkaar zouden vertellen. Eén dag voor Carré, in het theater in Scheveningen, hoorde ik van Sören dat hij een vriendin had.

En hij vond het heel gepast om dat toen te vertellen... Ben ik ingestort? Integendeel. Ik kan alleen nooit meer zonder tranen naar dat programma kijken. Maar je begrijpt: toen kwamen die liedjes met dubbele kracht binnen... Daniëlle zat op de eerste rij, alleen maar te huilen.

Liedjes als "Telkens weer" en "Het zal nooit meer zo zijn": "De taxi staat te wachten, de koffers zijn gepakt, ik kijk nog een keer om me heen, je kijkt me vragend aan..."

Ik dacht: ik moet nu níét gaan janken. Want ik zag de krantenkoppen al voor me: WILLEKE IS INGESTORT.

Maar ik hoorde het orkest en het applaus en voelde een kracht die moeilijk te verwoorden is. Sören zat in de loge, wat ik toch wel heel dapper vond.

Zo nu en dan keek ik naar hem, herinner ik me. Die man moet wel door de grond zijn gegaan. Daar stond ik: de vrouw van wie hij ging scheiden na vijftien jaar, midden in het licht. De zaal omhelsde me, de mensen waren als een warme deken voor me. Ik dacht alleen maar: dit neemt nooit iemand mij meer af.'

Een leven als een lied

Wie nu naar de show van Willeke kijkt, *Mijn Mooiste Carré Concert*, kan precies zien wanneer zij opkijkt naar de loge waar Sören zat. Haar blik spreekt boekdelen. En haar ogen worden zachter als ze naar de eerste rij, naar Daniëlle kijkt. Ze staat met haar hele leven in het spotlicht. Maar het lukt haar om de liedjes allemaal prachtig te zingen, en bij het duet met Henk Poort, 'O sole mio', het lied dat ze zo vaak met haar vader zong, is de ontroering van de zaal gewoon tastbaar.

Het was het beste concert dat ze ooit heeft gegeven. Jaren later zouden de mensen die eraan meewerkten het er nog over hebben. Het beste geluid, het beste orkest, de beste belichting, de mooiste kleding van Addy van den Krommenacker, de beste regie van Ruut Weissman, make-up door Puck Magielse, haar door Leco van Zadelhoff, teksten van Coot van Doesburgh en Paul de Leeuw, en de regie voor tv was in handen van Rolf Meter.

Terecht is het applaus na afloop, de bloemen, de vreugde: Willeke is terug bij zichzelf en straalt.

'Na het concert had ik een suite gereserveerd in het Amstel Hotel, zodat we na afloop in Amsterdam konden blijven. Wij, dat waren Daniëlle, Johnny, Kaj en ik. Het was echt een feestje met mijn kinderen, en ik ben van plan om dat met mijn zeventigste jubileumconcert in Carré weer te doen.'

Het nieuwe repertoire van Coot van Doesburgh en Edwin Schimscheimer was van een intelligenter en moderner soort. Minder breed misschien dan 'Spiegelbeeld' en 'Morgen ben ik de bruid', hoewel ze tijdens haar nieuwe concerten die hits ook altijd bleef doen. Ruut Weissman deed de regie van de show waarmee ze 120 voorstellingen zou spelen, verspreid door het hele land. Het decor was schitterend en na veel audities was een groep mensen samengesteld die perfect bij elkaar pasten. Achtergrondzangeressen, muzikanten, geluidstechniek, alles klopte.

Ondertussen werd de elpee *Willeke – voor altijd* moeiteloos platina, wat in die tijd betekende dat er echt 100.000 van verkocht werden. Een betere publiekstrekker kon ze zich niet wensen.

Qua productie, muziek en uitvoering zat het dus wel goed. Maar Willeke had in haar privéleven meer nodig om zich van binnenuit sterker te voelen. Op dat moment kwam, via via, een tweede kans om in contact te komen met Berna Ooms.

'Toen ik in 1995 terugkwam en optrad in het Circustheater, was daar opeens de dochter van Berna Ooms. Ik kreeg er helemaal kippenvel van: "Jouw moeder heb ik nodig!" Ik zat in een scheiding, een verhuizing, mijn leven stond op z'n kop. Ik heb er heel veel aan gehad, en zij ook aan mij.

Berna is heldervoelend, helderhorend, helderruikend. Het is een enorm warm mens, een en al liefde. Voor mij is ze een soort accu, waarmee ik me op kan laden. Ze maakt het mogelijk voor mij om te stralen, en niet bang te zijn om de dingen los te laten. Neem maar een handvol zand, bijvoorbeeld, en probeer dat vast te houden: hoe meer je knijpt, hoe meer zand tussen je vingers wegloopt. Terwijl het zand, als je je hand gewoon openhoudt, daar blijft liggen. Aan de hand van dat soort eenvoudige, natuurlijke metaforen leer je omgaan met je eigen angsten en onzekerheden.

Berna leerde mij om te luisteren naar de natuur om me heen. Mensen leven allemaal opgesloten tussen stenen muren, terwijl je zo veel kracht kan vinden in de bomen, de zon, de maan, alles wat buiten voor het oprapen ligt. Ik weet nu waar ik het zoeken moet, letterlijk en figuurlijk, zodat ik de kracht heb om op het podium te staan. En als ik eens iets heb, zoals toen, dan bel ik haar. Ik heb vertrouwen in haar, en dat is wederzijds. Ze is zo puur, zo echt.'

Berna is zelf heel bescheiden over haar krachten, waarvan ze zegt dat eigenlijk iedereen ze heeft. Over Willeke zegt ze: 'Zij socialiseert. Als ze optreedt, dan zie je dat alle mensen hetzelfde zijn. Het maakt niet uit: er is geen klassenverschil, geen arm of rijk meer. Als ze daar staat, gaat het licht aan. Ze brengt de mensen dichter bij zichzelf. Willeke is gewoon zichzelf, ze doet zich niet anders voor dan ze is. Het publiek voelt dat.'

Willeke: 'Ik kan niet doen alsof. Ook al zou ik het anders willen, dat kan niet. Geen enkele zanger kan het volhouden om iets ánders dan zichzelf te zijn. Het publiek is intelligent. Ze zien en voelen alles.'

MOEDERLIEFDE

In 2005 kwam Johnny de Mol met zijn vriend Dinand Woesthoff naar het jubileumconcert. Johnny had zijn eigen weg inmiddels gevonden, zonder ooit zijn hand te willen ophouden bij zijn vader of moeder. Van de bandjes waarin hij speelde tot de baantjes die hij nam: als drummer van Plain Habit tot opnameleider bij GTST toe, had hij alleen maar gevoeld dat hij harder moest werken om zijn waarde te bewijzen dan mensen die geen 'kind van' zijn. Trouwens, het stigma van een 'sterrenkind' was hem redelijk bespaard gebleven doordat Willeke het grootste deel van zijn jeugd alleen maar 'Frau Lerby' was.

Terwijl Johnny opgroeide in Duitsland, Monaco en België, was zij niet de beroemde zangeres of actrice die iedereen kent, maar gewoon: moeder die het vlees staat te bakken, thuis. Willekes carrière stond op een laag pitje, haar biefstuk op een hoog pitje. Johnny bleef haar in de eerste plaats gewoon zien als zijn moeder, ook als hij haar optredens bijwoonde. Niets bijzonders. Gewoon mam, die liedjes staat te zingen.

Tot hij die bewuste keer met Dinand naar het theater ging en hij Willeke door de ogen van zijn vriend zag.

'Zie je wel wat ze doet, die moeder van jou? Zie je die empathie, die overgave?' En opeens kon Johnny haar los zien van haar moederschap, en realiseerde hij zich wat ze eigenlijk deed.

'Ik hoorde de liedjes die ik al heel lang kende opeens voor het eerst,' vertelt hij. 'Het drong toen pas tot me door. Ik had haar nooit als "zangeres" gezien. Maar omdat Dinand me erop wees, zag ik wat ze deed met de mensen om me heen, hoe ze iedereen bereikt en mensen gelukkig maakt, met haar stem en haar uitstraling, en hoe belangrijk ze voor al die mensen is.'

Het moet een hartverwarmende realisatie zijn: een zoon die zijn moeder opeens als mens ontdekt. Veel kinderen lukt dat pas nadat hun ouders zijn overleden en ze terugbladerend in het fotoboek opeens de persoon achter de vader of moeder zien. Johnny had veel meer raakvlakken met Willeke, zoals hun beider liefdevolle talent om met verstandelijk gehandicapten om te gaan. Willeke had dat op haar beurt weer van háár vader. Willy Alberti had haar

Willeke, Dinand en Johnny

van jongs af aan compassie voor deze mensen bijgebracht. Hij trad op ten bate van Witte Bedjes, een stichting voor zieke en gehandicapte kinderen, speelde mee in een elftal met andere sterren bij Ajax om te collecteren, stond voor volle zalen om de opbrengst aan arme kinderen te geven, ook al was hij zelf op dat moment allesbehalve rijk. Voor Willeke is het optreden voor mensen met een verstandelijke beperking een zaligheid. Misschien omdat ze minder gêne hebben en open en vrij durven te reageren op muziek, omdat ze laten zien wat ze voelen en daarbij niet gehinderd worden door etiquette of opgelegde omgangsvormen. Het is bekend van heel veel artiesten dat zij nergens zo graag staan als voor een zaal vol 'gehandicapten'. Willeke richtte in 2001 haar Willeke Alberti Foundation op, met het doel om het welzijn van mensen met een handicap en het welzijn van ouderen te verbeteren.

Maar ook Johnny ontdekte ze, via zijn eigen weg: 'Ik moest een keer een improvisatiescène spelen met twee mensen met het syndroom van Down. Het ging om een zogenaamd huwelijk, waarbij de ene hoort dat de ander is vreemdgegaan. Direct als de vrouw dat heeft verklaard aan de man, gaat de bel en sta ík voor de deur, als de minnaar. Dat ík het was die die rol speelde, dat was de grote verrassing dan. Hoe dan ook, in deze scène hoort de man van zijn vrouw dat ze is vreemdgegaan, wordt dus kwaad, de bel gaat, ding dong, hij doet de deur open en ziet mij en weet je wat-ie zegt: "O, maar 't is met Jóhnny! Maar dan vind ik het niet erg!"'
Johnny is inmiddels al ruim vijf jaar op tv met programma's zoals *Down met Johnny* en *Syndroom* en heeft meer sociale acceptatie voor deze mensen en hun wereld bewerkstelligd dan wie dan ook.
Zijn moeder geeft ieder jaar tientallen belangeloze concerten in tehuizen en instellingen.

Moeder en zoon: ze lijken op elkaar, al vanaf hun eerste babyfoto tot nu.
Het viel zelfs regisseur Frans Weisz op, toen hij Johnny voor een auditie over de vloer kreeg. Johnny vertelt: '*Boy Ecury* was een film waarin ik graag de rol van Ewoud wilde spelen. Ik ging erheen, speelde de scène en Frans zei niets. Doodstil. Ik dacht dat ik het misschien niet goed had gedaan. Maar dat was het niet.'
Weisz was met stomheid geslagen door een ongelooflijke flash-back. Johnny's manier van acteren – namelijk volkomen naturel – deed hem Willeke voor zich zien, zoals zij in *Rooie Sien* was.
Willeke: 'Midden in de nacht belde Frans Weisz me op, om te vertellen dat Johnny net een auditie had gedaan, en dat hij hele-maal ondersteboven was, omdat mijn zoon hem zo ontzettend aan mij deed denken. Ik was ontroerd. Wat fantastisch!'
Een onverwacht cadeautje dus, want dat die onbevangenheid erfe-lijk is, dat is natuurlijk niet iets waar je van uit kunt gaan. Maar ze hebben het allebei: het vermogen om volkomen levensecht te acteren. En samengebracht door hun beider wens om iets te doen voor de Week van het Vergeten Kind, hebben ze nu ook samen gezongen. Op moederdag 2014. Jawel: 'De glimlach van een kind'.

Willeke is dolblij met ieder moment dat ze kan delen met haar getalenteerde zoon. 'Als ik naast hem sta, zoals met moederdag in Zaandam, dan valt alles op zijn plek, dan is het stokje doorgegeven van mijn vader en mij, naar hem. Je weet niet hoe gelukkig ik me dán voel!'

Toen Johnny in 2014 genomineerd werd voor de Televizier-Ring, voor zijn programma *Syndroom*, leek het er even op dat hij zijn moeder ook in dát opzicht zou volgen en al op jonge leeftijd die ring zou winnen. Het zou een mooie erkenning zijn geweest voor de show die zo veel begrip voor gehandicapten heeft gekweekt. Maar *Syndroom* verloor het van *Flikken Maastricht* – appels en peren dus: fictie tegenover non-fictie, een politieserie tegenover realiteit. Het maakte de Downers die in hun smoking naast Johnny zaten in Carré niets uit: ze hadden de avond van hun leven en met hun zonnige humeur leken zij de grote winnaars van de ring.

Willeke volgde de spannende uitreiking vanuit het theater, waar ze met *De Jantjes* optrad, en vloog na afloop van de voorstelling als een raket naar de kroeg in Amsterdam waar Johnny, zijn vrienden en de hele crew inmiddels zaten.

Als een raket betekent in Willekes geval ook precies dát. Zonder zich om te kleden of haar pruik af te zetten, zo van het toneel af, hup de auto in en met honderd kilometer per uur naar café Het Kalfje. Moeders die hun zoon gaan troosten zijn onhoudbaar. Johnny zag Na Druppel binnenkomen en kon haar omhelzing wel waarderen. En zij zette op Facebook: 'Na optreden in Zaandam direct naar mijn zoon als Na Druppel! Ik gun iedereen alle prijzen en ringen!! Maar ik heb de hoofdprijs!!! Mijn zoon!!!!!'

'Naar mijn zoon als Na Druppel!'

MIJN ZOON

Je bent nog klein
Je wilt mijn beste vriendje zijn
Een heel koud handje voel ik warm
in mijn hand in de stad
Je vliegt, je rent, je bent nog steeds mijn kleine vent
Straks loop je liever met je meisje langs het strand
Je zei, net nog: 'Maar Mammie, je hebt mij toch'
Morgen herinner je jouw woordjes echt niet meer
Ik aai je bol, we maken samen reuzelol
Je bent jaloers omdat ik lach naar een meneer
Jij bent de man, zo klein als je nog bent
Ik ben de vrouw, de liefste die je kent
Ik weet het nog
Toen jij voor 't eerst naar school toe ging
Hoe treurig kijkend jij toen aan mijn armen hing
Ik zei toch, 'Later zal het beter gaan'
Nog even en je zal op eigen benen staan
Je hield van mij
Met alles wat je in je had
Nu loop je met je vrienden, 's avonds in de stad
'Hallo, die mam', een kus, een aai en weg ben jij
Het kost me moeite... 'k heb geen keus, ik laat je vrij
Jij bent de man, een heel grote vent
Ik ben de vrouw, die zorgt en je verwent
Ik ben er nog
Voor jou zal ik er steeds weer zijn
Als je langskomt
vind ik 't altijd: 'lekker!'
't Verbaast me steeds
hoe snel alles veranderd is
en ik dat jongetje van vroeger nog zo mis

Jij bent de man
waar ik altijd van hou

Jij bent mijn zoon
Trots ben ik op jullie allebei,
Kaj en Johnny

(tekst en muziek: R. van der Klaauw-Verwoerdt, R. de Ruiter-Verwoerdt)

De foto van Willeke en Johnny in Het Kalfje hangt aan het grote prikbord in haar woonkeuken. Het is dringen op dat bord, het wordt alweer de derde laag foto's. Punaises door gezichten van vroeger. De drie exen zijn nog maar ten dele zichtbaar. De trouwfoto van de laatste is al lang verdwenen en dat betreurt Willeke, want ze had graag samen oud willen worden met Sören en samen opa en oma willen worden van de kinderen van Kaj en Hannah. 'Sören is echt de allerbeste vader geweest voor alle drie de kinderen.'

'Mam, jij blijft voor ons de zon'

VAN DUIZENDEN VERHALEN

Wat was er goed, wat was er fout
Kan iemand dat bepalen?
Wat valt er nou te winnen
Wat voor eer valt er te halen?

Mijn intuïtie, mijn enig kompas
Heeft mij geleid, heeft mij bewaard
En als het niet om mijn kinderen was
Was het leven mij niet veel meer waard

Maar is dat fout of is dat goed,
Wie kan dat nu nog bepalen?
Wie kan er nu nog winnen
Welke eer is er te halen?

Want ik hield van hen
Ik hield van hen
Van de mannen in mijn leven
Ze hebben me allen, stuk voor stuk
Een deel van zichzelf gegeven

Wie was er goed, wie was er fout
Wie kan dat nu nog bepalen?
Wat valt er nog te winnen
Wat voor eer valt er te halen?

Want ik hield van hen
Ik hield van hen
Van de mannen in mijn leven
Ik hield van hen
Ik hield van hen
zonder rancune, zonder spijt
En als is er soms gevochten
toch staat niemand bij iemand in 't krijt

En dat is goed, dat is niet fout
Dat kan ik nu bepalen
Soms valt er wat te winnen
een wankel evenwicht te halen

Mijn intuïtie, mijn zeker kompas
zal mij weer leiden en bewaren
En samen met mijn kinderen
zal ik de goede momenten sparen

Want ik hou van hen
Ik hou van hen
Dat is wat ik ze kan geven
Het is misschien een oud refrein
Maar de waarheid van mijn leven
Het is misschien een oud refrein...

Wat was er fout, wat was er goed
Wie zal dat nu bepalen ?
Het is gewoon de eindbalans
Van die duizenden verhalen

(tekst: Jeroen Krabbé, muziek: Edwin Schimscheimer)

'Alles komt van twee kanten, altijd. Ook bij mij. Ik ben net zo goed debet aan mijn scheidingen als mijn mannen. Je kunt niet blijven zeggen: "Ja maar jij..."
Nee, daar doe ik niet aan mee. Uiteindelijk komt alles goed.' Zo pratend drentelt ze voor me uit door de gang, de hal, weer een gang, de hoek om, langs de strijkkamer, het kantoortje. Zoeken we iets? Ja, want ze moet zo naar een optreden voor Radio Noord-Holland, ergens in een tochtige polder. Dus er moet een passende sjaal gevonden worden, zodat de eerste herfstwind haar de stem niet afsnijdt. Als twee eendjes, zo zie ik ons kwekkend achter elkaar

aan waggelen door het huis. Weer een bocht om, weer een gangetje door.

Opeens staan we in de *walk-in-closet*. Een inloopkast, een soort miniboetiek vol kleren. Ik slaak obligaat een opgewonden gil. Dat hoor je als vrouw namelijk te doen.

Ze kan er wel om lachen. Maar hoe leuk is het ook om, als je uit een klein kamertje in de Jordaan dat je met je familie deelde komt, nu in net zo'n klein kamertje te staan waarin je kleding op zichzelf woont? Al die jurken, al die schoenen, maat 35, alles op kleur en maat, keurig als in een winkel. Het is een soort droom die Willeke heeft waargemaakt.

Ze draait zich om met een prachtige blouse in haar handen, zoals de goede fee in Assepoester. 'Hier, voor jou,' zegt ze met een glimlach. Zie je wel, ze ís de goede fee. 'Ik ben al zeventig, het staat mij niet meer,' verzint ze, om mij te overtuigen. We komen weer uit de droom, ik klaar om naar 'het bal' te gaan, Willeke klaar voor haar optreden. Dat de fee zich het schompes heeft gewerkt om te komen waar ze nu is, wordt er in het sprookje niet bij verteld. Dus ik vraag het haar, en ze zegt: 'Ik heb alleen maar gewerkt sinds ik na Eksel terugkwam in Laren. De tijd ingehaald, lijkt het wel. Ik kreeg geweldige reclames te doen. Negen jaar met Klingel gewerkt, een postorderbedrijf. Twee keer per jaar ging ik naar Amerika, of naar de Canarische Eilanden, foto's maken van de kleding. "Voor de wat rijpere vrouw." In het begin nam ik koffers mee terug, zo leuk vond ik het. Daniëlle heeft ook nog heel even meegedaan als mannequin, al vond ze fotomodel leuker om te doen. We deden het samen, verdienden veel geld. Maar na verloop van tijd kwamen er andere dingen op mijn pad, reclames voor Schoonenberg-hoortoestellen bijvoorbeeld, zodat ik mijn ome Tonny en tante Corrie er eentje kon geven.

Maar afgezien daarvan ging ik ook de theaters weer rond met een productie samen met Jenny Arean, *Klarenbeek & Verbrugge*. Jenny was in veel opzichten mijn tegenpool. Als je mij "manisch positief" noemt, zoals Arjan Ederveen ooit opmerkte, dan is zij juist iemand die het níét nodig vindt om door iedereen aardig te worden gevonden, en die niet bang is om voor haar mening uit te komen.

Dat vind ik moeilijk om te doen. Paul de Leeuw vond al dat ik van mijn Doris Day-gehalte af moest. En het is ook al een heel stuk gesleten hoor, die angst voor confrontaties. Ik leer het mezelf, ook al is het soms pijnlijk om eerlijk te zijn. Maar iemand echt kwetsen doe ik bij voorkeur niet. Dat is mij met de paplepel ingegoten, om dat niet te doen.'

HET VERRUKKELIJKE VREEMDGAAN

Er is op dit moment
Geen grote liefde in m'n leven
Wat scharrelaars, maar niet dat serieuze
Ik red me goed
Zie het als een vast gegeven
Ooit speling van het lot, maar nu een keuze
Ik zou er werk van willen maken
Maar het is goed zoals het is
Er is eigenlijk maar één ding dat ik mis...

Het verrukkelijke vreemdgaan van weleer
Daar kan ik soms zo naar verlangen
Dat prettige contact zo zonder meer
Geen beloftes en ook geen belangen
Ik ben nooit in zen of in Boeddha geweest
Maar was goed in het scheiden van lichaam en geest
Soms duurde het enkele uren
En soms een compleet seizoen
Of je druk was of vrij
Je kluste wat bij
O, ik mis dat vreemdgaan van toen

Ik ben van een lichting die snakte naar meer
En daar werd dus ook naar gehandeld

De sluiproutes van het geslacht'lijk verkeer
Die heb ik veelvuldig bewandeld
Als piepjong artiestenkind zag ik alras
De showbizz zit vol leuke knullen
Vertel mij dus niks van de Gooise matras
Die heb ik nog zelf lopen vullen

You're alone at the top
Jazeker, en hoe...

Maar dat geldt dus niet
Voor de weg ernaartoe

Het verrukkelijke vreemdgaan van weleer
Naar de avondwinkel voor champagne
Dat gedoe op een flat in Boxmeer
Of een muffig hotel in Rockanje
Ik was altijd een warm en zeer sociaal mens
Met een hart voor – met name – mijn jongere fans

Soms was er 's eentje wat ouder
Die nam je uit goed fatsoen
Niemand kwam iets tekort
Want het ging om de sport
O, ik mis, o, ik mis dat vreemdgaan van toen

Dat zakendoen simpel was, hoeft geen betoog
Geen man stuurde ooit een factuur na
De loodgieter, wegenwacht, gynaecoloog
Betaalde je cash, in natura
Wanneer een geliefde soms opheld'ring wou
Ook dan was ik nimmer nalatig
Ik zei hem dan: Schat, het ligt echt niet aan jou
Dat overspel is puur dwangmatig
Mijn specialiteit
Was de drietrapsraket
Met de beste vriend
Van mijn minnaar naar bed

Het verrukkelijke vreemdgaan van weleer
Die lange uitputtende nachten
Daarna het doorleefde geacteer
Voor die goeierd die thuis zat te wachten

Mijn minnaar verdriet doen was nimmer mijn doel
Maar je wipt zoveel fijner met een vaag schuldgevoel

Dat zalige smoezen verzinnen
Ik zou er een moord voor doen
Altijd weggaan op tijd
Dus zonder ontbijt
O, ik mis, o, ik mis dat vreemdgaan van toen

Het verrukkelijke vreemdgaan van weleer
Zoveel keus, zoveel kans, zoveel smaken
Een archief waar ik daag'lijks op teer
Je kon me er wakker voor maken
Maar de mensen zijn koel en de tijden zijn slecht
Het overwerk klopt nu en de files zijn echt

Een meerderheid blijft liever single
Verbindt zich voor geen miljoen
Dus wat rest er dan nog
Van betrouwbaar bedrog
O, ik mis, o, ik mis dat vreemdgaan van toen...

(tekst en muziek: Jurrian van Dongen, Henny Vrienten)

'Had ik maar een kutjeugd gehad' lieten Ederveen en Klaasen haar zingen in hun show. Dat heeft ze met veel plezier gezongen, maar het feit blijft dat het niet zo is. En daar is ze dankbaar voor: 'Ik heb, terugkijkend, de beste ouders en een fantastisch leven gehad tot nu toe,' zegt ze.

MENS DURF TE LEVEN

Je leeft maar heel kort, maar een enkele keer
En als je straks anders wilt, kun je niet meer
Mens durf te leven
Vraag niet elke dag van je korte bestaan:
Hoe hebben m'n pa en m'n grootpa gedaan?
Hoe doet er m'n neef en hoe doet er m'n vrind?

En wie weet, hoe of dat nou m'n buurman weer vindt?
En – wat heeft 'Het Fatsoen' voorgeschreven?
Mens, durf te leven!

De mensen bepalen de kleur van je das
De vorm van je hoed, en de snit van je jas
En – van je leven
Ze wijzen de paadjes, waarlangs je mag gaan
En roepen 'o foei!' als je even blijft staan
Ze kiezen je toekomst en kiezen je werk
Ze zoeken een kroeg voor je uit en een kerk
En wat j'aan de armen moet geven
Mens, is dat leven?

De mensen – ze schrijven je leefregels voor
Ze geven je raad en ze roepen in koor:
Zo moet je leven!
Met die mag je omgaan, maar die is te min
Met die moet je trouwen – al heb je geen zin
En daar moet je wonen, dat eist je fatsoen
En je wordt genegeerd als je 't anders zou doen
Alsof je iets ergs had misdreven
Mens, is dat leven?

Het leven is heerlijk, het leven is mooi
Maar – vlieg uit in de lucht en kruip niet in een kooi
Mens, durf te leven
Je kop in de hoogte, je neus in de wind
En lap aan je laars hoe een ander het vindt
Hou een hart vol van warmte en van liefde in je borst
Maar wees op je vierkante meter een Vorst!
Wat je zoekt, kan geen ander je geven
Mens, durf te leven!

(tekst en muziek: Dirk Witte)

TERUG IN LAREN

Het ontbrak Willeke nooit aan de moed om te leven, en ook niet aan doorzettingsvermogen.

Ze vond in 1995, het jaar dat haar wassen evenbeeld in Madame Tussauds werd tentoongesteld, ook voor zichzelf een dak boven het hoofd. Van een tijdelijk na-de-scheiding-huis werd het de villa waar ze nu nog woont, op die stille groene laan in het schilderachtige Laren.

Ze woont vlak bij haar ex John de Mol, en haar zoon Johnny heeft plannen om er binnenkort ook te komen wonen. Dochter Daniëlle, haar man en haar twee kinderen, Davey en Estelle, woonden er ook, voor zij naar Australië vertrokken. En ook Kaj, die als voetbalmakelaar voor een groot deel voor zijn werk in het buitenland moet zijn, woont met zijn vrouw Hannah en hun zoontje Finn en dochter Mila in Laren.

Voor Kaj was de verhuizing uit België naar dit dorp destijds, net als voor Johnny, een heel goeie zet. 'Je hebt geen vergelijkingsmateriaal, natuurlijk, als je zo jong bent, dan weet je niet hoe het zal zijn om ergens anders te wonen dan waar je gewend bent. Maar achteraf besef je dan dat je ineens veel meer vriendjes had, dat alles leuker werd en dat we veel vrijer waren, hier in Nederland. Ook de situatie van twee bekende ouders was hier in Laren veel normaler dan in Eksel. Het was een heerlijke tijd, ook al waren mijn ouders gescheiden.

Mijn moeder bloeide helemaal op. Iedereen maakt natuurlijk onbewust keuzes in het leven. Daar in België, dat was het gewoon niet voor haar. Ze deed haar best, probeerde het leuk te houden, maar zo werkt het gewoon niet. En hier begon ze weer te leven. Ze kwam weer in haar comfortzone, begon weer te zingen en op te treden en wij waren onwijs trots op haar en vonden het heel spannend.

"Het zal nooit meer zo zijn" vind ik haar mooiste liedje. Maar ze is altijd in de eerste plaats gewoon mijn moeder gebleven, we zijn nooit meegegaan in de euforie. Johnny was natuurlijk iets ouder dan ik, en ging vrij snel bij zijn vader wonen. Dus mijn moeder en ik waren samen. Ze moest alles alleen doen, en dat was niet altijd even makkelijk. Sören zei altijd: "Zorg voor je moeder. Zorg dat je er bent."

We hadden het goed samen, gingen op vakantie. En nu nog gaan we met de kerst met z'n allen naar Curaçao, en dan is ze helemaal relaxed. Ze is echt een gezelligheidsdier. Grote tafels, eten maken voor ons allemaal. Ze is geen grote kok of zo, maar ze vindt het heerlijk om voor ons te koken. En dan moet er altijd iets uitgesproken worden. Wij, alle drie haar kinderen, zijn altijd eerlijk in wat we van haar vinden. Geen jaknikkers. En ze luistert naar ons. Ik voelde me heel erg beschermd door haar. Toen ik klein was, was ze er altijd voor ons. Als we uit school kwamen, als we naar bed gingen, altijd.' Willeke moedigde Kaj altijd geweldig aan. 'Ze vond dat ik álles moest proberen. En natuurlijk, toen ik een jaar of zestien was, ging ik ook écht alles proberen, begrijp je. Dan was ze wel eens kwaad, als ik laat thuiskwam. Op een keer, toen ze zo boos op me was, realiseerde ik me ineens dat ik zo veel langer was dan zij. Er stond gewoon een heel kwaaie dwerg voor mij op en neer te springen en me uit te schelden, en ik vond het zo grappig. Ik zéí het ook, en dat was natuurlijk niet zo'n goed moment.'

Kaj groeide op tot een ontzettend knappe jongeman, die Willeke heel erg aan haar eigen vader doet denken. Hij ging naar de kleinkunstacademie, deed audities, maar uiteindelijk was het dat niet voor hem en vond hij zijn weg naar een heel andere wereld. Hij lacht: 'Ik had het zangtalent van mijn vader en het voetbaltalent van mijn moeder.'

Hoe is het om als zoon van twee bekende ouders op te groeien? Wanneer kom je erachter wie je zelf bent en wat je eigenlijk wilt? 'Ik heb haar nooit als "Willeke Alberti" gezien, maar altijd gewoon als mijn moeder. Die ook best haar typische kanten had, maar dat was dan niet haar bekendheid, want dat speelde geen rol bij ons. Op een keer kwam ik thuis en stond ze een boom te omhelzen.' Hij lacht, en ik zie wel voor me hoe bij een jongen van zestien die net is begonnen met het omhelzen van alles behalve bomen, zoiets op z'n netvlies blijft hangen.

'Ja, er was zo'n vriendin, en ze waren heel erg bezig met de kracht van de natuur. Een andere keer kwam ik uit school, vroeg ze me of ik de grootste brandnetel uit onze tuin kon gaan plukken. Want ze had een ontsteking op haar hand, en daar moest dan brandnetel op gedrukt worden, dan werd het sneller beter. Dus ik de tuin in, pluk heel voorzichtig een superlange brandnetel voor haar. Ze bond hem erop en de volgende dag had ze zó'n arm. Dik! Rood! Het brandde verschrikkelijk. Maar de ontsteking was wel weg!'

Hij lacht weer. De herinneringen aan Willeke als moeder, de moeder die ze nog altijd is voor hem, zijn talloze momentopnames van zomer- en winteravonden aan lange tafels vol eten, drinken en kaartspelletjes met niet één, maar drie families, want ieder kind had zijn eigen vader, met op zijn beurt ook weer een nieuwe vrouw. Iedereen mocht aanschuiven.

Willeke had desondanks haar eenzame momenten, en vertelde me hoe blij ze dan was met Kaj, het kind dat haar troostte en van wie ze onvoorwaardelijk kon houden. Kaj was 'de man in huis', vertroeteld door zijn moeder, de lieveling van alle vrienden en vriendinnen. Het losmaken uit dat warme nest, dat kan niet makkelijk zijn geweest.

Zelf zegt hij daarover: 'Ik was heel lang samen met haar, haar laatste kind in huis. Het was ook makkelijk natuurlijk: je moeder doet alles voor je, zelf hoef je eigenlijk niets.' De navelstreng werd pas doorgeknipt toen Kaj verhuisde. 'Ik ging een jaar in het buitenland wonen, superleuk. Toen kwam ik pas op eigen benen te staan.'

Nu is hij manager, agent, of hoe je het noemen wilt, van zo'n dertig topvoetballers: regelt alles voor ze, zit goed in z'n vel en heeft met zijn vrouw Hannah een prachtige zoon, Finn van twee, die het allemaal in één woord samenvat: 'Goal!'

'Da's niet vanzelf gegaan hoor, dat we nu allemaal gewoon bij elkaar over de vloer komen,' verzekert Willeke me, als ik mijn bewondering uitspreek over haar grote x-factor in familietolerantie. 'De een is daarin makkelijker dan de ander. Maar ik heb het ook zo enorm getroffen met al mijn schoonouders!'

Van hen heeft ze er dus zes, van wie er twee, John de Mol senior en de vader van Joop Oonk, helaas zijn overleden. Maar de Oonkjes – oma Katrien is 100 geworden afgelopen jaar –, de De Mollen en de

Lerby's zijn haar allemaal dierbaar.

'Ik zie ze heus niet iedere dag, net zomin als mijn exen, maar als ik maar weet dat het góéd met ze gaat. Dat is belangrijk.'

Zelf is ze oma van Davey en Estelle en kleine Finn. Het wordt nog dringen onder de kerstboom, straks. Maar had er niet een adoptie-kindje bij gekund?

'O ja!' Ze heeft een groot hart en een groot huis. Aan haar heeft het niet gelegen. Maar het adopteren van een kindje, vooral als je zelf net gescheiden bent, is niet zo simpel.

'Het was een schoenpoetsertje. O, zo lief. Ik was in 1996 in Vietnam, met het Foster Parents Plan om een reportage te maken. We zaten in prachtige hotels, met gouden kranen, grote balkons, ik heb in het bed van Kissinger geslapen, dat soort dingen, je kent het wel. Schitterend. Maar wat een tegenstelling met het land eromheen! Chu was een jochie van een jaar of twaalf. Maar zo zag-ie er niet uit. Ik zie hem zo weer voor me: mijn broer Tonny, die ook mee was op deze reis, maakte de foto waarop wij naast elkaar staan: dezelfde houding, dezelfde manier waarop we onze handen houden, dezelfde glimlach: zo'n instantgevoel van soulmates. Kleine Chu moest naar de wc in dat grote hotel, maar hij was nog nooit op een echt toilet geweest. Hadden ze niet, waar hij woonde. Hij leidde ons rond door Vietnam, bracht ons naar zijn familie, liet ons zien hoe ze daar leefden, we kwamen op plekken terecht... en zagen daar wat wij als Foster Parents dan konden betekenen voor ze. Dat was goede, doordachte hulp. Niet zo van: hier

Schoenenpoetsertje Chu in Vietnam

heb je een heleboel geld, nou kun je er voorlopig weer tegen, maar bijvoorbeeld: hier heb je een stel kippen, om mee te beginnen. De mensen de kans geven een eigen boterham te verdienen, zodat ze niet meer afhankelijk zijn van de rijke westerse wereld, zeg maar. Chu's ambitie was niet om later een groot zanger te worden of zo, nee. Zijn grootste wens was om "kaarten" te verkopen. Ansichtkaarten waren dat. Dat was de volgende stap op de ladder, na schoenen poetsen. Hoger dan dat kon hij zich niet voorstellen. Ik wilde hem aan het eind van die reis zo graag meenemen. Maar die man van Foster Parents vond dat geen goed idee. Hij legde me ook uit waarom. Je maakt die kinderen niet per se gelukkiger door ze uit hun eigen omgeving en bij hun eigen familie weg te halen. Dat adoptieverlangen is vaak nogal egoïstisch. Het kan wel, maar dan op afstand. Dus dat heb ik ook gedaan ja, met de hele crew. Chu kon naar school.

Foster Parents Plan stond het meest bekend om het financieel adopteren van kinderen in de derde wereld. De man die ons rondleidde deed geweldig werk. Hij zorgde ervoor dat kinderen konden studeren, was met hart en ziel betrokken bij de projecten. Bovendien was hij ontzettend aardig en hij kon kaarten als de beste. Dat viel mij natuurlijk op, want ik hou van kaarten en deed het van jongs af aan al. Vroeger met mijn vader en met mijn broertje Tonny, en nu met mijn kleinzoon Davey. Enig. Maar ja, om op deze man, die ons rondleidde voor Foster Parents, terug te komen: later bleek dus dat hij een gokverslaafde was. Vreselijk.'
In 2010 kwam ChildRight, de organisatie waar hij toen directeur van was, in opspraak toen bleek dat het geld niet bij de geadopteerde kinderen terechtkwam. Er waren miljoenen verdwenen in casino's.
'Ik voelde altijd dat er iets niet klopte. Dan keek ik hem aan...
Hij was geen slecht mens en hij heeft me ook nog geholpen bij het opzetten van mijn stichting. Wat ik wil zeggen is: een mens bestaat uit zo veel kanten. Hij had beslist een talent en een passie om te helpen, maar die verslaving heeft hem de kop gekost. Hij

was daarna nergens meer te vinden. Het akelige is dat hij "goede doelen" in zijn algemeenheid een slechte naam heeft bezorgd.

Al die honderden mensen die zich belangeloos inzetten voor een betere toekomst voor kinderen, die worden "besmet" door zo'n rotte appel in de mand. Donateurs worden terecht achterdochtig. En aan het eind van de dag zijn degenen waar het allemaal om begonnen is, de kinderen, er de dupe van.

Daar kan ik verschrikkelijk verdrietig van worden. Maar het weerhoudt me er niet van om door te gaan met hulp bieden aan goede doelen, onder andere samen met de Verwenzorg en de ouderenbond.

Toen ik door Ivo Niehe werd gevraagd om een presentatie te doen voor het Ronald McDonald Huis, ontmoette ik Pietje, een jongetje dat uit Suriname was gekomen om hier in het vu geopereerd te worden.

Dat jochie was net zo oud als Kaj toen. Zijn ene beentje was geamputeerd vanwege kanker. Maar hij kon voetballen! Dan stond-ie op zijn stokken en met zijn ene goeie been gaf-ie toch een trap tegen de bal! Dus ik nodigde hem uit, om thuis te komen spelen. Ik woonde toen nog in België met Sören. En die kon er níéts mee. Nee, die kon dat niet aanzien. Kaj en Johnny wel natuurlijk, die hebben met hem gevoetbald in de tuin. En Danny Blind bracht een voetbal met alle handtekeningen van de Ajax-spelers erop voor hem mee.

Pietje ging terug naar Suriname, en kwam later nog eens terug voor een Ronald McDonald-gala. Ik heb toen "Samen zijn" met hem gezongen. En we konden het toen wel horen: zijn ziekte was teruggekomen en deze keer ging Pietje het niet halen. We stonden allemaal om hem heen te huilen. En Pietje keek naar ons op en zei: "Waarom huilen jullie? Ik ga dood, jullie niet!"

Ik zing nu nog steeds "Samen zijn" en Pietje zal ik nooit vergeten.'

Dat heb ik met eigen ogen gezien, hoe ze dat doet. Ze zong het in 2013 voor mijn autistische zoon Yoshi en de mensen van Verdandi, een antroposofische dagopvang voor gehandicapten. Toen de grote vrachtwagen met daarin Willekes podium en band het terrein op rolde, verwachtte ik dat ze daar, op dat hoge podium, zou gaan staan. Maar Willeke zelf kwam aangelopen over de zonnige zandpaden en toen ze zong, was dat met beide voeten in het lange gras, zodat ze oogcontact kon maken op dezelfde hoogte als haar publiek.

Met haar zangeressen Carmen en Barbara en zanger Job Bovelander deed ze de polonaise, samen met alle verzorgers en bewoners. Yoshi stond met zijn neus zowat tegen die van Willeke op het moment dat ze 'Samen zijn' met hem zong, een reus met een kleine fee. Prachtig. Je begrijpt waarom juist Willeke zo vaak gevraagd wordt: het is werkelijk feest voor iedereen.

SAMEN ZIJN

M'n vriendje, mag ik even met je praten
Want 't verwart me, wat er met ons twee gebeurt
Heb jij dat ook, gevoel van angst dat je bekruipt
Als je alleen bent
Want 't is alsof de dagen zonder jou zo hol en bijna leeg zijn
Heb jij dat ook, gevoel van onrust dat 't niet voor altijd
Door kan blijven gaan
Zal die twijfel voor ons blijven bestaan
Samen zijn
Is samen lachen, samen huilen
Leven door dicht bij elkaar te zijn
Samen zijn
Is sterker dan de sterkste storm
Gekleurder dan 't grauwe om ons heen
Want samen zijn
Ja samen zijn
Dat wil toch iedereen

M'n vriendje, mag ik even aan je hangen
Je warmte voelen, ook al is 't maar heel kort
Heb jij dat ook, gevoel van rust dat je bekruipt

Een Amsterdamse Dolly

Als je me aankijkt
Want 't is alsof de nachten samen zoveel meer en echt gemeend zijn
Heb jij dat ook, gevoel van tijdloosheid, dat 't wel voor altijd
Door kan blijven gaan
Door die gevoelens blijf ik naast je staan

(tekst: T. Manders jr., muziek: P. van Asten, R. de Bois)

Naast acties voor het Ronald McDonalds Huis werd Willeke door Unicef gevraagd om naar Guatemala te reizen, ze liep over vuilnis-belten met groezelige baby's in haar armen – 'O, die lucht vergeet je nooit meer, die arme kinderen' – en werd ten slotte ambassa-deur voor de Sponsor Loterij. Een verzameling van goede doelen dus, wat weer uitmondde in haar eigen Willeke Foundation.

BLIJ ZIJN ALS EEN KIND

Maar van liefdadigheid alleen kan geen mens leven. Er moest ook gewoon brood op de plank komen, te verdienen met zang en dans. De concerttournees die Willeke deed – altijd met een band, nooit met een tape, want dat inspireert haar niet – werden op zeker moment onderbroken vanwege een andere aanbieding.

'In 2004 werd ik gevraagd voor de musical *Hello Dolly!*, geproduceerd door Albert Verlinde. Met Jos Brink als tegenspeler. Een ontzettend leuke cast, met Jamai, die kort daarvoor *Idols* had gewonnen. Natuurlijk zei ik ja, ik vind het toneel nou eenmaal leuk: ik ben een trooper.

Albert Mol zei: "Spelen, zingen, alles kan ze, maar ze is te klein voor die rol." En dat is altijd in mijn hoofd blijven zitten, want het wás ook zo. Je moet eigenlijk een heel lange Dolly zijn. Zo'n grote, wulpse vrouw. Of ze hadden er een Amsterdamse Dolly van moeten maken. Dan was het leuk geweest, maar we hebben evengoed 120 voorstellingen gespeeld. Ik heb ze allemaal gedaan en het liep geweldig. De kostuums waren prachtig. Het was de begintijd van Albert Verlindes musicaltraditie in Nederland. Verlinde deed het geweldig. Hij zorgt uitstekend voor zijn mensen. Een echte steunpilaar, elke dag goed te eten. Ik ken Albert natuurlijk al heel lang, tijdens het songfestival was hij al reporter. Het is een leuke, lieve man. En als je eerlijk, oprecht tegen hem bent, vraagt of hij een nieuwtje nog even wil bewaren, dat doet hij dat.'

De krant vermeldde: 'Willeke Alberti viert haar vijftigjarig artiestenjubileum en zestigste verjaardag als koppelaarster die zich vooral in hogere kringen begeeft. Ze voelt zich als een vis in het water binnen de high society, maar vergeet haar opdracht als ze zelf haar oog laat vallen op een rijke alleenstaande man (Jos Brink). Dat lot uit de loterij wil ze voor zichzelf houden. Ze doet er werkelijk alles aan om haar liefde kenbaar te maken en dat gaat gepaard met een fikse dosis humor.

De musicalklassieker *Hello Dolly!* werd drieduizend keer op Broadway gespeeld en verfilmd met Barbra Streisand in de hoofdrol. De titelsong is in de vertolking van Louis Armstrong een evergreen geworden.'

Willeke maakte van haar Dolly, ondanks haar geringe lengte, een innemende dame met een giftig randje. Daar waar haar Amsterdamse accent doorschemerde, met name bij haar smartlap, werd ze door het publiek pas echt omhelsd. Jos Brink was Horace Vandergelder: een geweldige gierigaard, een vakman en een heerlijke collega om mee te werken. Maar niets was opgewassen tegen de 'ondeugende' teksten en de voorspelbaarheid van het verhaal. 'Te ouderwets' was een veelgehoorde opmerking. En 'stoffig'. Maar het musicalgenre lag Willeke wel, zoals al bewezen was in het verleden: haar ervaring als zangeres en actrice kwam samen.

'Het zingen van liedjes is in veel gevallen net als het opvoeren van een toneelstukje. Je vertelt de mensen een verhaal, en hoe geloofwaardiger je dat doet, hoe leuker ze het vinden.'

OME JAN

Mijn moeder had een broertje, dat was mijn ome Jan
En elke zondagmiddag kwam die altijd effe an
Hij hield niet van familie, van kind'ren hield-ie wel
Hij bleef z'n hele leven 'n echte vrijgezel

Ik kreeg van ome Jan ineens m'n allereerste fiets
Hij zei 'die is voor jou, mop' en verdween weer in het niets
Thuis was 't echt geen vetpot, 't was altijd feest
Want iedereen was blij als ome Jan weer was geweest

Want we gingen op vakantie van het geld van ome Jan
En niemand leek te weten hoe die aan die centen kwam
Dat kon ons weinig schelen dus we namen het ervan
Niks te klagen
Niet naar vragen
Wat hebben we plezier gehad van ome Jan z'n geld
En daarom was ook iedereen enorm op hem gesteld

En waar hij 't vandaan had heeft nog niemand ons verteld
O die lieve ome Jan!

Toen ik wat ouder werd kreeg ik al snel een baan
En 't werd voor mij een raadsel hoe mijn oom dat had gedaan
Hij had geen baan of erfenis en zat maar voor de buis
Dat zag ik als ik langsreed, op weg van werk naar huis

't Viel me op dat ome Jan zich toch wel vreemd gedroeg
Je zag hem nooit met vrienden of gezellig in de kroeg
Hij kwam steeds minder vaak, maar het was altijd prijs
Want als-ie dan ook langskwam, dan konden we op reis

Nu heb ik maanden niets gehoord en ben naar hem op zoek
Ik vind 'm in een kamertje, verloren in een boek
En dan vertelt-ie zijn verhaal, onthult-ie zijn geheim
Hoe die 't voor mekaar kreeg, zo'n goeie oom te zijn

Wanneer ik 'm vertel dat ik echt heel veel van 'm hou
Krijgt-ie tranen in z'n ogen en hij toont opeens berouw
't Wordt wel even wennen voor ons allebei
Aan die stalen tralies tussen ome Jan en mij

O die lieve ome Jan
O die lieve ome Jan
O die lieve ome Jan
O die lieve ome Jan

(tekst en muziek: Pim Koopman, Jeroen Englebert)

'Ik heb het leukste vak van de wereld: overal waar ik kom is het
een feestje. Er is altijd iets te vieren. Maar ja, als je iedere dag mee
gaat vieren... Ik weet van mezelf: als ik iets ga drinken, ben ik de
volgende dag een wrak. Drank is de pest voor je stem. Je moet
kunnen stoppen. Als je dat zelf in de gaten hebt, dan is het goed.
In dit vak zie je jonge mensen van wie je weet: die komt er wél

doorheen en die niet. Dat geldt net zo goed, of zelfs nog meer, voor drugs. Ik heb zelf nooit iets gebruikt, dus ik zag het niet bij anderen. Ja, als het echt te laat is, bij mensen zoals Amy Winehouse... Vreselijk!

En gewoon tabak, sigaretten roken, is ook al zo slecht. Een paar jaar geleden, toen ik al lang gestopt was met roken, heb ik zo'n test gedaan om te zien hoe mijn longen eruitzagen. Zo'n test die ze ook doen als mensen de ruimte in gaan. In het uiterste puntje van mijn longen zaten nog steeds resten. Ik had ook nog steeds zo'n kuchje. Het blijft zo lang! Ik ben echt erg streng als mensen roken, tot grote ergernis van veel vrienden en collega's, maar ik heb veel jonge mensen van het roken af gekregen.

Ik ben me er altijd van bewust dat mensen een kaartje kopen om mij te zien. Best kostbaar en sommigen komen drie, vier, vijf keer. Ik voel me verantwoordelijk om ervoor te zorgen dat ik de moeite waard ben om naar te luisteren. Dat betekent dus discipline: je lichaam moet in topconditie zijn, het is topsport en dat gaat niet samen met drank, drugs of rock-'n-roll. Dat is dus niets voor mij. Het enige waar ik van moest afkicken was van mijn mannen. Ludduvuddu.'

Maar om bij de drank en de drugs te blijven: Willeke heeft er genoeg om zich heen zien komen en gaan: artiesten die uiteindelijk niet bestand waren tegen de vele verleidingen. In dat opzicht is er niets veranderd, zijn er hooguit drugs bij gekomen. Het een komt uit de fles, het ander uit een pil of een spuit. Cocaïne openbaart zich vooral doordat gebruikers ineens harder worden.

'Vol van zichzelf, maar glashard. Een persoonlijkheidskiller is het. Niet alleen gaat je neusschotje eraan, maar ook je karakter. Je hebt het zelf niet eens in de gaten. Je vindt alleen maar dat jij gelijk hebt en dat al die anderen niet snappen waar het om gaat.'

André Hazes was nog een onbekende zanger uit Amsterdam, toen hij in 1976 met een cassettebandje op bezoek kwam bij zijn grote idool: Willy Alberti. Er stond een nummer op dat hij zelf voor

'André keek me aan, terwijl hij "Niemand laat zijn eigen kind alleen"
begon te zingen, en ik zag de tranen over z'n wangen rollen'

Alberti had geschreven: 'Eenzame kerst'.
Willekes vader luisterde en zei meteen dat André dat nummer
gewoon zélf moest opnemen. En dat werd Hazes' eerste grote hit.
Hij bleef een groot fan van haar vader, en daarom verloren ze
elkaar nooit meer uit het oog. 'Het was zo'n lieve jongen met zo'n
enorm talent, dat komt maar eens in de zo veel jaar voorbij...'
Ze zong regelmatig duetten met hem zoals 'Sei rimasta sola',
kwam hem tijdens tv-opnames en in de studio tegen, en zag hem
groeien van jong aankomend talent tot Nederlands meest geliefde
zanger. Maar ze zag ook wat de drank met hem deed.
'Hij was zo ontzettend lief, maar hij kon het niet aan. Dat hebben
er zo veel, en het is zo zonde, zo doodzonde. Ik kende ook Ellen,
zijn tweede vrouw, een schatje, en daarna Rachel. Ik heb het
meegemaakt en het was natuurlijk best moeilijk voor hen om te
leven met iemand die zo verslaafd was. Hazes was oprecht gek op
ze, maar ja...'

Na de dood van haar vader ging ze met haar zoon Kaj vaak naar de concerten van Hazes, en dan mochten Kaj en zij als enigen bij hem in de kleedkamer.

'Kaj was een groot fan. Hazes vertelde Kaj dan over hoe hij zijn opa Alberti had gekend, en wat hij allemaal met hem beleefd had. Ik zie nog dat koppie van mijn zoon, naar Hazes opkijkend. Er was een goede band tussen die twee.'

Kaj herinnert zich hoe leuk het was om de verhalen van Hazes over Willy Alberti te horen. 'André kon geweldig goed vertellen over vroeger. Ik heb mijn opa natuurlijk nooit gekend. Het waren gewoon de simpele dingen van hoe hij was, maar daarom was het juist zo leuk. En ondertussen dronken we dan een biertje. Of twee. Of drie. Dat vond ik heel stoer. We zaten er nog als alles en iedereen al weg was.'

Willeke had grote bewondering voor Hazes' talent. Ze namen samen 'Niemand laat z'n eigen kind alleen' op, het duet dat een enorme hit van Willeke en haar vader was geweest. Hazes zong het bloedstollend mooi. Iedereen had kippenvel in de studio in Volendam. 'André keek me aan, terwijl hij begon te zingen, en ik zag de tranen over z'n wangen rollen. Het was het laatste lied dat ik met mijn vader had gedaan. Maar toen ik er dolenthousiast mee bij mijn moeder kwam, liep ze kwaad weg. Later zei ze: "Dat had je nooit mogen doen. Dat is van mijn man." Want dat vond zij. Zij was de enige echte mevrouw Alberti. Niemand mocht zijn liedjes zingen, in het begin mocht ik zelfs niet eens de liedjes van mijn vader zingen.' Het duet met Hazes werd desondanks uitgebracht. Willeke was het niet eens met haar moeder, helemaal niet. 'Ik zie het juist als een compliment als iemand jouw liedjes zingt.'

Maar het werd ondertussen steeds moeilijker om met Hazes te werken. 'Hij kon zich op het laatst nauwelijks meer focussen. Op een keer toen ik "Samen zijn" met hem zong, tijdens een gala, merkte ik dat meer dan ooit. Ik stond daar in mijn lange blauwe jurk, hij in zijn overhemd tegenover mij, microfoon in de hand. André was er slecht aan toe. Zijn blik leek rond te zwemmen, hij kon de tekst niet meer onthouden, ook niet lezen van de autocue.

Ik probeerde zijn aandacht op mij te houden, door hem dringend aan te staren. En opeens lukte het, hij keek me geschrokken aan, en riep toen: "Jezus! Jij bent Jomanda!"

André was onhoudbaar, zeker toen-ie aan de coke is gegaan, dat was écht de pest.'

Toen Willeke hoorde dat André was overleden belde ze Kaj. Maar op Hazes' begrafenis wilde ze niet komen, en ze kon en wilde ook niet zingen op die dag. En nog schiet ze vol als ze dat moment voor zich ziet: 'Ik vond het zo'n lijkenpikkerij! En ik dacht: nee, ik wil liever alleen thuis blijven zitten en verdrietig zijn om een uniek mens.'

Alleen van Guus Meeuwis, die 'Geef mij je angst' zong tijdens het spektakel in de ArenA, was ze diep onder de indruk. 'Wat was dat een fantastisch moment. Wat een talent heeft die jongen! Kippenvel! Hij was de enige die mij echt ontroerde, toen.

Ik ben met Kaj naar de musical van Hazes geweest, we hebben de hele voorstelling zitten snikken samen. Het was zo mooi en integer gedaan, en zo ongelooflijk goed gespeeld door Martijn en Chantal. Martijn, die vreet je op, die had wat André ook had: je vergaf hem altijd, om wat hij deed en hoe hij leefde. Je hoorde alleen maar steeds dat blikkie bier dat open werd getrokken: pshht. Alcoholisme is een ziekte. Als je dát nou maar eenmaal kan begrijpen. Het zijn geen slechte mensen, het zijn geen domme mensen, het zijn geen zwakke mensen. Het zijn alleen maar ontzettend lieve mensen die gewoon alleen maar warmte en liefde nodig hebben.'

Willeke zit tegenover me, achter een groot glas helder water en een kop koffie. Ik heb misschien niet alles in de bladen over haar gehoord en gezien, maar een periode van liederlijke dronken-schap, een afkickcentrum of een sappig slikken-, spuiten- of zuipenschandaal kan ik me niet herinneren.

In haar jeugd waren haar vader en zijn collega's niet bepaald geheelonthouders, na de kroegen in de Jordaan en de theaters van Amsterdam ging ze de wijde showwereld van seks, drugs en rock-

'n-roll in. Terwijl de artiesten om haar heen een delirium kregen
of een overdosis namen bij wijze van 'encore', en haar gebroken
hart vaak genoeg om een verdovend middeltje moet hebben
geschreeuwd, bleef Willeke toch verre van de fles en de spuit. Door
alles wat ze om zich heen zag gebeuren heeft ze juist een enorme
afkeer van alcohol en drugs gekregen.

André vergaf je altijd, om wat hij deed en hoe hij leefde

'Ik denk dat ik wat dat betreft gewoon zo'n mazzelpik ben, met die
ouders van me. Mijn vader zei altijd: "Een goed kind regeert zichzelf." Je kan wel tien kinderen hebben en dat zijn dan tien verschillende kinderen. De een kan het wél aan, de ander misbruikt en
gebruikt het als er iets misgaat in de familie, geeft die familie
de schuld, weer een ander pakt het op en denkt: dat ga ik anders
doen, en de laatste gaat wél aan de drank en wél aan de drugs.
Daar kan niemand iets aan doen.

Drugs veranderen je karakter, je hebt geen gevoel meer, voor niets. Die mensen die dat gebruiken die zijn zo kwetsbaar, en dat is in deze maatschappij zo moeilijk. Het enige wat je moet doen is jezelf zijn. Wees jezelf, dan hoef je niets te onthouden. Dat is waarom ik iedereen en alles zo recht aan kan kijken. Ik ben dan wel heel kwetsbaar, maar ik weet wel dat het oké is, wat ik ook doe. En ik hou best van een glaasje wijn bij het eten, ik ben echt niet van de blauwe knoop. Maar er is een grens die ik nooit zal overschrijden. Ik heb een vak dat dat niet toestaat. En ik heb de discipline om dat vol te houden. Onder alle omstandigheden.'

'Hij was zo'n aimabel, prachtig mens, maar zo onbetrouwbaar als ik weet niet hoe'

DANS ME GEK

El, de beste vriendin van Willeke, overleed in 1998. Ze was de vrouw van Tony Berk, de bekende dj en platenbaas. De cd voor de KWF Kankerbestrijding, die Willeke en hij daarna besloten te maken, was een logisch gevolg van Els' dood aan die vreselijke ziekte. Voor deze *Liedjes voor altijd*, moesten duetten opgenomen worden met vrijwel alle grote zangers van dat moment.

Willeke vroeg Ramses Shaffy om het nummer 'Dans me gek' met haar te zingen. 'Ramses en ik waren innig bevriend. De eerste keer dat ik hem zag, dat hij binnenkwam bij ons, viel ik flauw, zo leuk vond ik die man. Ik was netjes getrouwd met Joop en bovendien was Ramses niet van de vrouwenliefde, dus daar kwam verder niets van.

Mijn vader nam hem vaak mee naar huis, om te eten. Ramses kwam ik steeds weer tegen, mijn hele carrière door. Iedereen werd verliefd op hem. Hij was zo'n aimabel, prachtig mens, maar zo onbetrouwbaar als ik weet niet hoe. Deed waar hij zin in had en hield maar met weinig mensen rekening. Maar hij vroeg niets van je, of je trouw aan hem was of zo.

Hij had net z'n heup gebroken, toen ik met hem in de *Honeymoon-quiz* van Ron Brandsteder een duet zong. We moesten daarbij samen zo'n lange trap op, en hij bleef me strak aankijken, terwijl we omhoogliepen. Hij moet vreselijk pijn gehad hebben, maar hij deed het gewoon.

We hadden nachtenlange gesprekken aan de telefoon. Over liedjes van hem die ik in mijn show deed, die zo ingewikkeld waren en die ik moeilijk vond: "De een wil de ander, maar de ander wil de ene niet..." "Doe nou rústig," zei hij dan. Hij was zo'n bijzondere man, zo barstensvol talent. Hij kwam een ode voor me zingen op mijn zestigste verjaardag. En hij was gek op Kaj. Kaj vond hij prachtig – ja die wás natuurlijk ook behoorlijk leuk – en altijd als hij hem zag, dan schalde hij met donderende stem: "Káj... Káj... Kaaaaaj!" En Kaj was weg van hem, maar aan de andere kant was hij natuurlijk hartstikke hetero en werd hij daar nogal zenuwachtig van.

Toen we op weg waren naar een première van een film die Ramses met Herman van Veen had gemaakt en we samen in een koets zaten, vroeg ik hem of hij "Dans me gek" met me wilde zingen voor de cd.

Ik zong het hem voor. Het was helemaal een nummer voor hem, en hij stemde toe. Het was het laatste wat hij deed voordat hij een hersenbloeding kreeg.

Ik was daarna een van de weinigen die bij hem mocht komen en die hij nog herkende. Ik heb er met Edith, een vrouw uit het bestuur van mijn stichting, voor gezorgd dat hij in het Sarpha- tihuis kon komen. Want hij kon echt niet meer alleen thuis wonen. Dat heeft hem nog heel wat jaartjes gered, want hij werd toch nog 75, en dat had niemand, hijzelf ook niet, verwacht.

Ik heb daar nog een keer of vier voor hem opgetreden, tot op het

'Ik heb mijn herinneringen aan Ramses eigenlijk nooit zo verteld'

laatst. Ik heb nooit last van hem gehad, alleen maar van hem kunnen houden. Met Edith ben ik nog met hem bij Albert Mol op bezoek geweest, dat was een grote wens van hem.

Ik heb deze herinneringen eigenlijk nooit zo verteld, want ik vond dat Ramses van Liesbeth was. Het was fantastisch dat ik met hem heb mogen zingen, maar die twee hebben samen natuurlijk de prachtigste dingen gedaan. Een heel mooie, unieke combinatie.'

Herman Brood zei ook, net als Shaffy, meteen ja toen Willeke een duet voor dezelfde cd met hem wilde doen.

'Herman Brood zat in het buitenland, maar hij wilde dat lied doen met mij: "Omdat ik zoveel van je hou". Het lied is een prachtig duet uit de musical *De Jantjes*, gezongen door de Mop en Na Druppel. Herman vond het volkse liefdeslied van een morsig, dronken echtpaar geweldig, en wilde bovendien graag meewerken aan het goede doel: de Kankerbestrijding. Hij kwam er speciaal voor uit het buitenland.

De opname die we voor tv maakten, daar had hij natuurlijk niets voor geleerd. Hij kende de tekst absoluut niet en hij zat zo met zijn hand in mijn haar te wriemelen. Normaal gesproken mag er niemand aan m'n haar zitten, maar ja, van hem kon ik het hebben. Ik probeerde hem aan te kijken, om te zien waar zijn emotie zat, maar als je aan de coke zit, dan heb je geen emoties. Maar toch was het een grote lieverd, dat voelde je aan alles. Een kwetsbaar mens.'

OMDAT IK ZOVEEL VAN JE HOU

Je bent niet mooi je bent geen knappe vrouw
Jouw nagels zijn voortdurend in de rouw
Toch wil ik van geen ander weten
Omdat ik zoveel van je hou

Al zit je pak niet altijd eerste klas
Toch ben ik danig met jou in m'n sas
Wil van een ander nooit iets weten
Omdat ik zoveel van je hou

Dat verdriet
Mooi ben je niet
Zeker niet als je kijft

Je ben geen plaat
Schoonheid vergaat
Alleen de lelijkheid die blijft
Daar moet je maar aan wennen

Al zijn je kleren dan niet van satijn
Al doe jij echt niet aan de slanke lijn
Toch wil ik van geen ander weten
Omdat ik zoveel van je hou

Al zijn je haren slecht gepermanent
En is 't gebruik van zeep jou onbekend
Toch zal ik jou niet willen ruilen
Omdat ik zoveel van je hou

Lief en leed
Zoals je weet
Deel ik altijd met jou

Ik weet heel goed
Hoe jij dat doet
Je geeft de narigheid aan mij
Dat heb ik steeds geweten

Al ben je dan ook vaak een rare man
Al denk ik soms dat je enkel schelden kan
Toch kan slechts maar
Een engel ons scheiden
Omdat ik zoveel van je hou

(tekst: Rido, muziek: John Brookhouse McCarthy)

Herman Brood vond het volkse liefdeslied, 'Omdat ik zoveel van je hou', van een morsig, dronken echtpaar geweldig

DE ARTIESTENINGANG

Er zijn veel deuren die voor je opengaan als je eenmaal 'in het wereldje' zit, maar er is er niet één die zo'n ouderwets gevoel van opwinding geeft als die van De Artiesteningang.

Zo breed en feestelijk verlicht als de voorkant van een theater is, zo klein en bescheiden is die grijze deur aan de achterkant van het gebouw. Vroeger met een enkel peertje verlicht in een steegje vol plassen waar je de weg moest kennen, anders liep het dood. Tegenwoordig iets minder morsig, want de dansers mogen niet uitglijden en de acteurs niet met hun neus tegen de muur lopen, voordat ze het toneel op moeten.

De Artiesteningang door, ben ik er nog niet. Er volgt dan een doolhof van kale gangen, trappetjes en gesloten deuren. Als ik de verkeerde deur open en hij valt achter me dicht, sta ik in een donkere orkestbak die al jaren niet meer in gebruik is en waar ik nooit meer uit kom. Volg de pijlen, en volg vooral het geluid!

In de verte klinkt gezang, alsof ik de hemel nader. De deur naar het Grote Toneel staat open, en de geur van pasgeverfde decors en deodorant van acteurs in hun hemdje komt me tegemoet. Ik loop min of meer op de tast nu, want het is pikkedonker in de coulissen, in de richting van die schallende stemmen, en opeens zegt een stem van onder me: 'Kan je wel zwemmen? Je loopt in de gracht hoor!' En ik schrik, want: a. ik had die vrolijke mannen van het orkest nog niet zien zitten hier in deze hoek, en b. ik kijk naar mijn voeten en verdomd, ik sta op het blauwgeverfde water van een Amsterdamse gracht. Met een hink-stap-sprong over kabels en langs kasten vol attributen kom ik tussen de zware gordijnen vlak bij het toneel en daar staat ze, dichtbij maar toch in een heel andere wereld, in een straatje in de Jordaan: Willeke. Het is de soundcheck van *De Jantjes*, een uurtje voor de voorstelling. Dat houdt in dat de zaal nog leeg is en de spelers nog in hun gewone kloffie staan. En, nog kenmerkender: Roos zit nog op het toneel. Roos is het witte hondje van Willeke, dat altijd mee mag, en gedurende de voorstelling op haar dekentje in de kleedkamer slaapt, zoals iedere goed opgevoede theaterhond. Maar tijdens de soundcheck mag Roos nog op het toneel bij haar baasje zijn, en zit ze zachtjes hijgend naar haar te kijken.

Ik volg haar voorbeeld dus maar, ook al blijf ik in de coulissen en zit Roos op het podium. Verschil moet er zijn. Ik ben Willekes hondje niet. Bevoorrechte teef. Bezorgde teef ook. Zo is Roos: ze maakt zich altijd zorgen. Willeke loopt naar voren om met de hele cast 'Daar komen de Jantjes' te zingen en je ziet Roos denken: verrek, waar is ze nou weer? Dus hup, overeind komt ze, en ze waggelt rakelings achter de dansende benen van twintig zingende acteurs langs. 'Zo zijn onze Jantjes, die zien onze meiden allemaal even graag!' klinkt het koor hoog boven haar koppie. Roos wil alleen haar baasje graag zien. Met het bedaarde gangetje van een oude theatersuppoost die de cast komt rangschikken op lichaamsgeur, zie je haar naar de voorkant van het toneel hobbelen, neusje in de lucht, snuffelend naar Willeke. Gevonden. Hier staat de baas, vierde van links is het. Roos kijkt naar mij. 'Zie je: ik heb haar gevonden,' lijkt ze tevreden te zeggen. 'En nou ga ik terug naar die decortafel, want daar gaat ze na deze scène zitten.' Nog geen minuut later ploft Willeke, in haar rol als Na Druppel, daar neer. 'Je kent het script of je kent het niet,' zegt Roos.

We zitten in de artiestenfoyer aan de andijviestamppot met draadjesvlees, die Willeke van huis heeft meegenomen. Bij de magnetron in de hoek staan Stefan de Kogel en Rick Sessink te wachten tot ze hun eigen maaltje kunnen opwarmen. De mooie dunne meiden die zo lichtvoetig dansen zijn meer van de meegebrachte rauwkost en zeewiersalades.

Zo gaat dat: iedere dag in de toneelbus naar een andere locatie in het land, van Trutschudderdeel tot Herejezusveen, je prakkie opwarmen, omkleden, tandjes poetsen, microfoon op je wang en optreden maar. Zes dagen in de week en nooit een dag vrij nemen, ook niet als je beste vrienden een barbecue geven of je moeder ziek is. Gewoon doorwerken tot de tour erop zit. Vandaag wil dat zeggen: honderdzestig keer gedaan en nog vijfenzeventig maal voor de boeg. 'Hou je dat wel vol?' vraag ik Willeke, tijdens de stamppot.

'Dat wéét ik niet,' zegt ze, met lichte paniek in haar blauwe ogen.

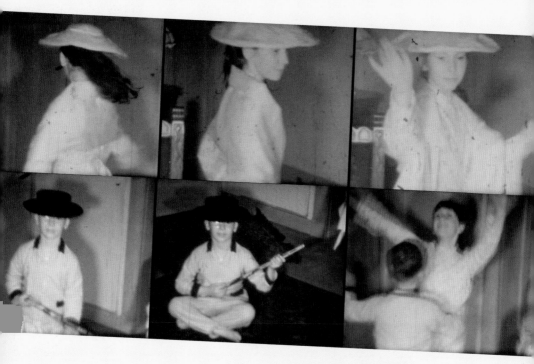

Ze is wel bijna zeventig, maar dat vergeet iedereen direct omdat ze, zoals Arie Cupé zegt, 'nog steeds een meisje is. Een oud meisje. Maar toch.'

'Waarom heb je de rol van Na Druppel eigenlijk aangenomen?'

Ze aarzelt geen seconde. 'Omdat Arie Cupé de Mop is.'

Haar partner in *De Jantjes* dus, de man met wie zij het beeldschone duet 'Omdat ik zoveel van je hou' zingt. En dat is ook zo, dat ze van hem houdt, en hij van haar. Weer een tegenspeler van wie ze houdt. Toen Hans Cornelissen, de producent van *De Jantjes*, bij haar op bezoek kwam om haar te vragen voor de rol van Na Druppel, zei ze toen ze hoorde dat Arie de rol van de Mop zou spelen, onmiddellijk ja.

Aha. Wie ís Arie Cupé dan eigenlijk, behalve een heel goede vriend, regisseur, begenadigd acteur en zanger? *De Jantjes* is al weer zijn drieëntwintigste musical, zijn verhaal is de moeite waard.

'Ik ben opgegroeid in de Staatsliedenbuurt, vlak bij de Jordaan,' vertelt hij. We hebben nog een kwartiertje voordat de Jantjes beginnen, en hij zit tegenover me met een kop koffie in de artiestenfoyer, verkleed als 'de Mop': zwarte vegen op zijn gezicht, donkere kringen onder zijn ogen en een totaal verrot gebit. 'Mijn ouders hadden een café, en je raadt wel wat er op de jukebox stond: alle liedjes van Willy en Willeke, naast die van Johnny Jordaan, natuurlijk. Ik groeide op met haar stem op de achtergrond. Toen ik nét twaalf was wilde ik naar de film *Rooie Sien*, waarin zij de hoofdrol speelde. Maar die was voor veertien jaar en ouder. Dus ik vervalste mijn tramabonnement, maakte mezelf twee jaar ouder. Ik was ook nog zó'n klein ventje, maar ja, ze moesten me wel geloven en ik mocht erin. Thuis speelde ik de scènes na die ze deed in *Twee op de wip*. Ja, ik was een groot Willeke-fan. Haar echt kennen, dat is pas sinds een jaar of twaalf. Maar dat was ook meteen heel heftig, heel goed. Ik heb twee van haar tours en twee gelegenheidsconcerten geregisseerd, waaronder het Willeke Alberti Jubileumgala in Carré, in 2010. En de show *Een leven als een lied* rond haar zeventigste verjaardag in Carré, die doe ik ook.'

Hij neemt een slok van zijn koffie. Zijn ribfluwelen broek en versleten jacquet zitten onder de vlekken, want zo is de Mop. Maar

eroverheen draagt hij een keurige ochtendjas. Van zichzelf dus. Ik
vermoed dat Arie net als Willeke zo iemand is die er altijd prima
verzorgd bij loopt. Gewoon zo opgevoed, zou Willeke zeggen.
Altijd netjes de deur uit. Wat leuk dat zij elkaar nu dan avond
aan avond in de armen sluiten als twee verlopen dronkenlappen,
lallend maar wel met veel liefde onder het vuil. Echte Jordanezen:
elkaar voortdurend de huid vol scheldend, maar o wee als iemand
ánders iets op te merken heeft over hun partner! 'Had je wat over
mijn wijf?' Dat zijn de rollen die ze spelen, waar het spoor van hun
echte leven heel dicht naast loopt.

In welke rol ziet Arie haar het liefst? Hij denkt lang na. 'Mensen
realiseren zich vaak niet hoeveel genres Willeke allemaal gedaan
heeft: liedjesprogramma's, musicals, films, cabaret, de revue,
tv-series, de schnabbeltoer. Het maakt haar op z'n zachtst gezegd
heel veelzijdig. Die stap van de schnabbeltoer naar televisie begin
jaren zestig hebben zij en haar vader gewoon overleefd. Veel
mensen haalden dat niet.

Met de opkomst van de televisie, werden "de avonden van vertier"
buitenshuis minder. Ze werden verdrongen door de beeldbuis.
Willeke overleefde het niet alleen, maar wat ze deed was ook nog
eens nooit achteraf, maar meteen, wham: haar eigen show! Altijd
A-artieste geweest, met iedereen gewerkt. Ze hing in de trapeze
voor een benefietavond, danste, acteerde: sloeg alle paden in.

Ik zag haar staan toen ze nog een klein meisje was van een jaar of
zeven, op beelden van een Johnny Jordaan-box. Een meisje met
een tasje, dat staat te kijken naar haar oom. Ze staat op de rand
van zo'n ronde muziektent, je kon wel zien dat ze er ergens al bij
hoorde. En nu sta ik dus naast haar op het toneel. Soms, als ze zo
naar me opkijkt met die glimlach, dan zie ik ineens dat meisje
weer, en dan realiseer ik me hoe bijzonder het is dat ik die liedjes
uit de jukebox in het café van mijn ouders nu samen met haar mag
zingen.'

Het is duidelijk te zien, die klik tussen Willeke en Arie. Maar ook
de rest van de cast is helemaal op elkaar ingespeeld: *De Jantjes*
komt tot leven met een sprong en een zwaai van 1920 tot nu.
Je kunt merken dat ze het stuk al wat langer spelen, je ziet de

lasrandjes niet meer in deze geoliede machine. Rosalie de Jong laat zich met volle overgave op de vijf gebogen ruggen van de matrozen vallen, zingt met Stefan 'Wees tevreden met een heel klein beetje', en om mij heen zit het hele publiek instemmend te knikken.

In de pauze, als het in Willekes kleedkamer een drukte van belang is met Rosalie de Jong, Nikki van Ostaijen, Arie Cupé en natuurlijk Roosje de hond, lijkt het of de Jordanese gezelligheid zich gewoon verplaatst heeft van het toneel naar de kleedkamers.

Er moet snel omgekleed en bijgepoederd worden. Kledingstukken, pruiken, spelden en schoenen vliegen door de lucht – 'Ah, doe die deur effe dicht, ze hoeven m'n blote kont niet te zien.' 'O nee, maakt niet uit, die heeft-ie al gezien. Laat maar.' 'Ik heb fruit bij me. Wie wil er fruit?' 'Zijn dit mijn schoenen wel, of zijn het de jouwe?' 'Ik lig iedere avond op vijf mannen. Dat kan niet iedere vrouw zeggen, toch?' 'En één of twee vonden dat misschien wel lekker ook!' 'Echt, zo veel nog? Waar gaat 't heen, met het theater?' Ondertussen blijkt hondje Roos klitten in haar staart te hebben die Willeke er zorgvuldig uitkamt, voorovergebukt in haar gescheurde en versleten victoriaanse jurk, met haar pruik vol klitten en haar zwarte tand.

'Och arm beest, kijk nou toch, en wat ben je vies!' Arm beest ligt er volmaakt tevreden bij, met haar buik in de lucht en pootjes omhoog. Zo zou ik er ook wel elke avond bij willen zijn, bij het toneel. Dat krijg je ervan, als je eenmaal door die deur van De Artiesteningang bent. Dit is de wereld die zich daarachter bevindt. De wereld die bij Willeke hoort.

SPIRITUALITEIT EN HET GROTE WAAROM

We rijden de stille laan van Willekes huis weer uit. Deze keer onderweg naar een bespreking over haar grote show in Carré in 2015. Ik zal maar niet meer vragen of het niet te druk voor haar is: zestig keer voor *De Jantjes* het hele land door, zes dagen per week. Uren onderweg naar een theater zijn en 's nachts om een uur of drie, vier thuiskomen... Dan zijn er nog mensen die vragen: 'En wat doe je nou overdag?' Wat dacht je van slapen? Willeke niet. Die heeft vannacht nog zitten praten met een van haar kinderen

Na Druppel, een gescheurde victoriaanse jurk, haar vol klitten en een zwarte tand

die aan de andere kant van de wereld is, waar de zon scheen op dat moment, en vanmorgen heeft ze dus deze bespreking, om daarna naar Delfzijl af te reizen voor *De Jantjes*. Vraag niet of dat niet te druk is, want dat is het. Punt. Vraag liever waar ze haar energie vandaan haalt. Net op dit moment steekt er een eekhoorn

Arie Cupé, verkleed als 'de Mop': zwarte vegen op zijn gezicht,
donkere kringen onder zijn ogen en een totaal verrot gebit

over. Met z'n roodbruine bontjasje en bolle sprongen kaatst hij
voor onze auto langs en we zeggen allebei alleen maar vertederd:
'Aaaaah.' Willeke zegt: 'Dat is mijn vader. Dat is gek, misschien,
maar altijd als ik een eekhoorn zie, dan denk ik dat hij dat is.
Hij was dol op eekhoorntjes, ging altijd op z'n hurken zitten en
probeerde ze te lokken. Toen hij net dood was, zat er eentje bij ons
raam, en daarna, altijd als ik aan hem denk, daar zie ik er een. "Hé
pap," zeg ik dan.' Ze kijkt even opzij om te zien of ik dat gek vind.
'Mijn vader is een vogeltje. Met zo'n geel borstje,' zeg ik. Want dat
is hij nu eenmaal, sinds zijn dood. Als het raam openstaat vliegt
hij binnen. Hij hield van die vrijheid, van komen en gaan wanneer
hij dat wilde. Het is geen rondvliegende geest, er is niets vaags aan.
Gewoon de projectie van iemand die je liefhad, en die er niet meer
is. Andere mensen gaan naar het graf om die persoon in gedachten
weer te horen spreken, om raad te vragen en het antwoord dat in
het verleden al gegeven is, opnieuw te horen. Maar eigenlijk hoef je
nergens heen.

> 'Ik ben de wind die komt van verre,
> ik ben het zachte licht van sterren,
> ik ben het vroege ochtendrood,
> en een vlucht vogels, hemelhoog,
> huil niet om mij, ik ben niet dood.'

(uit: 'Papa Pipo', Belinda Meuldijk)

Ieder heeft zo z'n eigen geloof en eigen grens. Ieders leven heeft momenten waarop datgene wat aan de oppervlakte ligt, niet verklaarbaar meer is.

Dan begint de zoektocht naar de oorsprong.

Ik moet denken aan wat Kaj zei: 'Op een dag kwam ik thuis en toen stond mijn moeder in de tuin een boom te omhelzen.' Willeke had altijd iets met spiritualiteit. Maar nooit zo sterk als toen ze na haar scheiding van Sören terugkeerde in Laren en zich vragen ging stellen over het Grote Waarom. De dingen komen nooit zomaar op je weg. Er is een moment voor alles, en toeval bestaat eigenlijk niet. Iets valt je toe op een moment dat je ervoor openstaat. Willeke heeft 't haar hele leven al: dingen voorvoelen. Ondanks de ochtendmist die tussen nu en later hangt, ziet ze de dingen die gaan komen helder. Ze is geen 'zweefteef', en ze doet zich zeker niet voor als zo'n wijze tante met een derde oog en een glazen bol onder de tafel. Nee, dank je, ze vindt het bovendien zó logisch dat ze een esoterische gave heeft, dat het definiëren daarvan niet makkelijk is. Alsof je een bepaald onderdeel in de motor van je auto moet gaan omschrijven.

'Tsja, ik vind het normaal. Het is zo verweven met m'n leven. Ik voelde het altijd als er iets niet klopte. Ik praat er niet gauw over, want soms is dat ook niet gemakkelijk: met mijn kinderen of mijn exen. Ik zie het gewoon aan mensen, als er iets mee is. Als iemand mij een foto laat zien, dan weet ik: die heeft dat of dat. Mijn moeder had 't, mijn oma had 't, Daniëlle heeft 't.'

Het is een soort doorgeven. Net als boeken die tot nadenken stemmen.

'Ik gaf wel eens een boek, bijvoorbeeld Shirley MacLaine's *Glad ijs*, aan Daniëlle. Over spiritualiteit, ufo's en meditatie. Op mijn beurt kreeg ik *Niet morgen maar nu* van Wayne Dyer van Puck Magielse. Toen ik het kreeg dacht ik: niks aan. Totdat ik wegging bij John. Toen is het mijn redding geweest. Het leert je oprecht te zijn. Om complimenten te aanvaarden zonder ze te ontkennen. Niet dat "Sorry dat ik geboren ben". Als je een complimentje krijgt voor je leuke jurk niet zeggen: "Ach, hij was een tientje op de markt", maar gewoon "Dank je". Uit boeken haal je wat bij je past, waar je wat aan hebt.'

Wayne Dyer leert je wat je achilleshiel is: niet de omstandigheden waarin je terechtkomt, maar je eigen reactie erop. Het wegcijferen van jezelf, het steeds willen pleasen, het 'lieve-Willeke-zijn', maakte plaats voor assertiviteit en vertrouwen. Wayne Dyer, op zijn beurt, schrijft in zijn laatste boek het volgende over Willeke: 'Een van de grote ontdekkingen in mijn leven kwam voort uit mijn contact in Nederland met Willeke Alberti, wellicht de bekendste vrouw uit de showbusiness in dat prachtige land... Het is duidelijk dat er een onzichtbare kracht in het universum is die overal voor zorgt. Zonder uitzondering. Deze kracht verbindt ons met elkaar. Als ik in harmonie met deze kracht blijf, die eigenlijk zuivere, onvoorwaardelijke liefde is, laat zij niets ongedaan door niets te doen. The Beatles hadden het bij het juiste eind toen ze "Let It Be" zongen...

Willeke is een zielsverwant van mij die hetzelfde pad bewandelt als ik en het is heerlijk om haar hand vast te houden als we dit pad samen bewandelen, ondanks het feit dat we geografisch en qua taal van elkaar gescheiden zijn. Het is duidelijk dat de kracht die in ons zit ons helpt als we trouw blijven aan onze roeping. Willeke is een voorbeeld van duizenden bondgenoten die ook als doel hebben om onze planeet te transformeren tot een plek waar een goddelijke liefde de overhand heeft.' (Uit: *De cirkel is rond* van Wayne Dyer.)

ZEILEN OP DE WIND VAN VANDAAG

Toen je dacht: Ik word gedragen, moest je sjouwen
Toen je dacht: 't Is even slikken, moest je kauwen
Toen je dacht: Ik wil wel stoppen, juist beginnen
En net toen je naar buiten wou, naar binnen

Toen je dacht : 't Is me teveel, toen werd het minder
Toen je dacht: Ik ben een rups, bleek je een vlinder
Toen je dacht dat je iets won, heb je verloren
En toen je dacht: Nou ga ik dood, werd je geboren

Je moet zeilen op de wind van vandaag
De wind van gisteren helpt je niet vooruit
De wind van morgen blijft misschien wel uit
Je moet zeilen op de wind van vandaag

Toen je dacht: Nou wordt het beter, werd het slechter
Toen je dacht: Ik geef het op, bleek je een vechter
En toen je dacht een realist te zijn, een dromer
Toen je dacht: Nou wordt het winter, werd het zomer

Toen je dacht: Het wordt gebracht, moest je het halen
En toen je dacht: Ik krijg iets terug, moest je betalen
Toen je dacht: Ik sta alleen, toen kon je schuilen
Toen je dacht: 't Is om te lachen, moest je huilen...

(tekst en muziek: Frans Mulder)

Maar van wie was de hand die Willeke het eerste boek van deze Amerikaanse schrijver aanreikte? Wie was Puck?
'Puck Magielse was mijn vaste visagiste, al sinds de tijd dat ik de shows van André van Duin deed.'
Willeke heeft een klein metalen doosje in haar handen. Het lijkt op een pennendoosje, maar het zit vol met lippenpenselen en eyeliners. Een kleurig deksel, getekend door jarenlange slijtage van liefdevolle vingers. Willeke heeft het ooit van Puck gekregen en gebruikt het nog steeds als zij haar eigen make-up doet, zoals bij *De Jantjes.*
Visagisten en kappers liggen natuurlijk in elkaars verlengde: degene die je schminkt en je haar doet in de studio, is vaak dezelfde persoon. Maar ook in een ander opzicht is het vak hetzelfde. Beiden nemen algauw een vertrouwelijke positie in. Of je nu bij de kapper zit of in de stoel van de make-up, geheimen en roddels, kletspraatjes en diepe gedachten komen allemaal aan de beurt. Misschien dat de persoon die zo duidelijk binnen je persoonlijke cirkel komt en wiens vingers je huid en je haar aanraken om je mooier te maken, automatisch die intimiteit oproept.

Acteurs balanceren op smalle grens tussen melancholie en kitsch

Snotteren bij 'Willeke,

de musical'

Ze was er gewoon zoals het behang

Geen adembenemende botsing van karakters, maar wel

Muzikaal standbeeld voor Willeke Albert i

door PETER LIEFHEBBER

Willeke Alberti ooit bang is geweest dat de musical over haar leven ong

Willeke als barbiepop werkt wel grappig als ontroerend

'Willeke': Hollandse stamppot zonder worst

Willeke over 'Willeke': deze musical is een grote eer

REGISSEUR geeft grif toe dat hij in eerste instantie 'niks had met dat repertoire': "Nou ja, afgezien van nostalgie liedjes hoorden erbij. Net als het water en met als mijn moeder, die er en met als ik in het begin jaren treg naar oma mocht om Willeke op de televisie te zien. Als ben mocht ik helemaal alleen fietsen naar Amsterdam. Dat Stadionkade in Amsterdam. Dat

Slechts één keer eerder was in Nederland een musical over een bekend en nog levend persoon: Ik Jan Cremer in 1985. Nu geven Hans de Wolf en Ger Beukenkamp met de musical Willeke een tijdsbeeld van de jaren zestig en zeventig. Alle liedjes komen uit het repertoire van Willy en Willeke Alberti.

Visagisten en kappers, ze hebben een beroep dat grote discretie vereist. Puck, met haar mooie grote ogen en verfijnde uitstraling, was algauw een dierbare vriendin.

'Ze ging mee op tournee, naar Bali, noem maar op, met Tineke de Nooij. Toen ze ziek werd, dachten we dat ze een tropische ziekte aan die reizen had overgehouden. Ze had samen met haar man een kapsalon, een prachtige vrouw was het. Ze konden geen kinderen krijgen. Dat was een groot verdriet. Maar ze was zo mooi, en ze kon zo mooi opmaken.' In 1998, toen Pucks huis verbouwd werd, kwam ze een half jaar bij Willeke wonen. 'We waren allebei lid van het Aids Fonds, en ze deed daar heel veel voor, net als ik. Ik riep wel eens: misschien heb je wel aids, maar daar gaf ze dan geen antwoord op. Achteraf gezien heeft ze zich geschaamd ten opzichte van haar familie. Je kon haar vertrouwen, ik kon haar alles vertellen over mijn liefdes en mijn verdriet. Ze was zo blij dat wij zo met haar begaan waren, toen ze ziek werd. Ze moest zo veel onderzoek laten doen. Ik dacht dat het haar tropische ziekte was. Ze kon niet vertellen dat ze daadwerkelijk aids had omdat iedereen in die tijd nog dacht dat het besmettelijk was door gewoon aanraking. Dus dat kon niet met haar beroep. Ze waste altijd ieder kopje waar ze uit had gedronken zelf af, dronk zwarte koffie, koud. Dat laatste had te maken met haar medicijnen, die laxeerpillen. Ze was hart-stikke dun, had anorexia, maar niemand had in de gaten wat er werkelijk met haar was. Op zeker moment kreeg ze een tumor. Als je geen goede conditie hebt, dan krijg je het: dat hiv-virus kan je besmet hebben zonder dat je het meteen krijgt. Haar huwelijk was kapot, en de vriend die ze daarna kreeg bleek haar besmet te hebben. Een half jaar lang hoorde niemand iets van haar. Toen ik haar opzocht in het ziekenhuis kwam ik erachter, want toen ging haar infuus er per ongeluk uit en de verpleegsters schrokken zich 't leplazarus. Want ja, dat bloed is natuurlijk besmet. De dokter kwam en zei: "De tumor is weg. Maar het virus niet." Ze had chemo gehad en haar haar was uitgevallen, het gezwel was daar-door verdwenen. Maar de aids niet. En dat in combinatie met haar anorexia... Zelfs in het ziekenhuis at ze niet. Nam ik kroketten voor haar mee... maar nee.

De laatste tien dagen is ze vanuit het ziekenhuis bij mij gekomen. Kaj had een rode loper uitgerold en toen Puck met de ambulance arriveerde, werd ze daarover naar binnen gedragen. Ze lag in mijn slaapkamer in het bed dat uitkijkt op de tuin en de bossen in de verte. Boven het bed had Kaj een doek met sterren opgehangen, zodat ze vast kon wennen dat ze straks in de hemel zou wonen. Het was een ongelooflijk intense en, gek genoeg, ontzettend gezellige tijd.

Puck had geen pijn, maar haar lichaam hield er iedere dag een beetje meer mee op. We lagen op het grote bed met haar te kletsen: Marijke, Tineke en haar zusje Astrid, Jos Brink en op het laatst ook Berna. Iedere dag kwamen er andere mensen langs, en Puck was zo blij, had geen idee hoe gek iedereen op haar was. Het leven dat er nog was, dat deelden we en vierden we. We koesterden het, zeiden alles, riepen alles. Met Pinksteren is ze gestorven, nu al weer vijftien jaar geleden. Wist je dat ze je in een plastic zak doen als je dood bent? Gewoon een plastic zakkie. Ik was blij dat de dokter, een heel bijzondere man, eerst wat handdoeken om haar heen wikkelde, voordat ze haar daarin schoven.'

Willeke kijkt me aan om te zien of ik haar goed begrijp. 'Ik ben sinds Puck stierf niet meer bang voor de dood. Het allerbelang-rijkste als je stervende bent is dat er mensen om je heen zijn die intens van je houden. Of dat nou je familie is, of vrienden. De kamer waarin zij stierf, mijn slaapkamer, is me heilig. Jos Brink heeft een heel mooie afscheidsdienst voor haar gehouden in de hervormde kerk. Puck was mijn allesie. En nu heb ik alleen dit nog van haar.'

HET ZOU EEN LEUGEN ZIJN

't zou een leugen zijn
alsof 't mij slechts overkwam
en bij toeval weet waar hij woont
om net te doen alsof ik niets heb gevoeld
het niet zo had bedoeld
en onze stiltes weggelachen
't zou 'n leugen zijn
't zou 'n leugen zijn

zou jij me vangen
nu ik in de diepte val
verdwijnend in de mist
zou je weten waar ik ben
en me weer vinden
zou jij me vangen
nu ik vleugellam
in het allerdiepste spring
wanhopig zoekend naar je hand
die me terugbrengt

't zou een leugen zijn
om net te doen alsof jouw tranen
om niets in jouw ogen branden
alsof je niet zou bestaan
't zou 'n leugen zijn
zoals ik mezelf bedroog
en ons zo samen deed geloven
dat wij onvindbaar voor de liefde
onkwetsbaar zijn
't zou 'n leugen zijn
als ik jou nu zeggen zou
dat ik het niet delen wil met jou
je zo verraden kan ik niet

zou je me vangen
zou jij er staan voordat ik val
voordat ik te pletter sla
zou je weten waar ik ben
en me weer vinden
zou je me vangen
midden in het hart geraakt
schreeuw ik om een teken
om iets wat groter is dan mezelf
schreeuw ik om iets
wat ons nog redden kan

(tekst: Carmen Sars, muziek: Patrick Bruel, K. Bruers)

Het make-updoosje in Willekes hand heeft opeens een extra betekenis gekregen. Het is de laatste 'verfdoos' van een lieve vriendin
die haar onopgemaakte gezicht pas op het laatst durfde te tonen.
De maskers zijn nu af.
Waar hadden de twee vriendinnen het over in de tijd dat ze onder
één dak woonden hier in Laren, aan het eind van de vorige eeuw?
Zoals hartsvriendinnen elkaar vinden en steunen ten tijde van
nood: over liefde en hartzeer. Mannen die hen verlaten hadden of
mannen die zij zelf verlieten: het was hetzelfde kapotte geloof in
de eeuwigdurende liefde dat hen samendreef. Pucks luisterende
oor was een zegen in de kleine uurtjes, als Willeke thuiskwam van
een optreden en Puck van haar visagie. Ze zaten bij dezelfde open
haard in de woonkamer met dezelfde ontgoocheling door trouw en
het verlies van onschuld. Beide vrouwen hadden een diep litteken
overgehouden aan hun laatste huwelijk, en beiden wisten dat ze
vroeg of laat toch weer... *Telkens weer* verliefd zouden worden.

Willeke had haar verliefdheden, vriendjes voor kort of iets langer,
maar geen van hen was uiteindelijk 'de ware'.
'Puck had de vriend die ze na haar huwelijk had ontmoet ook
weer verloren. Haar ex-man was een geweldige vent, en stond met
open armen klaar om haar terug te laten komen bij hem. Maar ze

ging niet terug naar hem, kon niet, in feite omdat ze dus door die nieuwe vriend geïnfecteerd was met aids.'

Het hartzeer was fysiek geworden en Willeke voelde dat er meer aan de hand was dan haar vriendin vertelde, meer dan de anorexia, maar wist niet precies wát.

'Dan zag ik haar aan het eind van de avond de trap opgaan, o, met al dat leed dat die vrouw met zich meedroeg...'

In deze periode werd Willekes leven, paradoxaal genoeg, ineens gevuld met een 'onmogelijke liefde' voor een getrouwde man.

'Het doet er niet toe wie hij was en waar wij elkaar ontmoeten. Hij was mijn maatje, met wie ik ontzettend kon lachen, maar ook mijn passie, mijn verdriet, mijn grote liefde. Het is iets wat veel mensen nooit meemaken, en alleen in boeken of films voorbij zien komen. Een allesomvattende liefde, die tot in iedere vezel van je lichaam en geest doordringt.'

Natuurlijk stond deze verhouding lijnrecht tegenover Willekes principe om zich nooit emotioneel te binden aan een getrouwde man. Haar grootste liefde was haar grootste vijand. Er zijn maar twee mogelijkheden als je aan zo'n onmogelijke liefde lijdt: Je gaat openlijk naar elkaar toe en als de bom barst, dan zie je wel wie na afloop nog leeft, of je bent discreet en laat je liefde alleen in het donker leven, waar niemand het ziet. In dat laatste geval ben je er minstens tien jaar aan kwijt, in het eerste hooguit een week. Wie leeft in een gouden kooi heeft geen behoefte aan een bom. De tralies zullen buigen maar niet breken. Nee, het wordt een geheime affaire. En daardoor een lange lijdensweg. Willeke kwam er met de hulp van lieve vriendinnen zoals Puck en Berna uiteindelijk doorheen. Ze zette er met vreselijke pijn en moeite een gewetensvolle punt achter. De Onmogelijke Liefde had haar niet alleen de opperste euforie en de diepste wanhoop gebracht, maar ook een nieuw inzicht.

'Ik ben teruggegaan naar die vrouw op wie mijn vader ooit verliefd was. De vrouw die ik destijds vervloekt had en ook uitgescholden. En ik heb haar gezegd dat mij dat speet. Want doordat ik zelf in zo'n verliefdheid was beland, begreep ik dat je daar niets aan kan doen. Het overkomt je gewoon.'

De verhouding ging voorbij. De zelfhulpboeken zijn naar de kringloop, de donkere wolken zijn, samen met de laatste blauwe plekken op haar hart, weggedreven. Alleen Wayne Dyers nieuwste boek, *De cirkel is rond*, ligt heel toepasselijk op tafel. Er zullen ongetwijfeld nog meer hoofdstukken worden toegevoegd aan Willekes eigen bibliotheek, maar dit deel over 'hem' is nu gesloten. Een wijs mens schreef ooit: 'Het is pas over als je zelfs de straat niet meer oversteekt om hem te ontwijken.'

Wat blijft is het meest menselijke van alle verlangens: het verlangen naar ware liefde. Het zou wel heel vreemd zijn als je, als zangeres die met zo veel passie haar lied zingt, geen verlangen meer hebt naar liefde.

'Ik vind het bij mijn katten, mijn hondje, maar bovenal natuurlijk bij mijn kinderen en kleinkinderen,' zegt ze.

En de romantische liefde? Is dat inmiddels een slagroomsoes of een mokkapunt geworden? Nee, Willeke is nog niet van de zoete compensatie bij de warme bakker. Maar ze is ook niet zoekende naar een man. Daarvoor zijn de wonden te vers. Er zit een korstje op, maar ze weet nog maar al te goed hoeveel pijn het deed, en liefde vraagt totale overgave. Dat is op het moment nog een beetje veel gevraagd. Haar hart is zo vaak gebroken geweest, en staat nu nog in de steigers. We houden het dus maar – zo lang de verbouwing duurt – op de liefde voor haar kinderen en haar vak.

SCHRIJF ME NIET

Schrijf me niet
zeg me niets
denk niet: 't is voorbij
want ieder woord van jou
is als muziek voor mij
Ik ben de man niet meer
die jouw liefste is geweest

maar als ik iets van je hoor
dan mis ik je nog steeds

Schrijf me niet
hoe ons leven is vernield
vraag dan liever aan God
Hoeveel ik van je hield
en hoeveel ik van je hou
dat weet ik alleen
Ik zie de hemel nog
maar kan er niet meer heen

Schrijf me niet
Ik verbied mij jouw herinnering
En de waarheid van ons twee
staat in geen enkele zin
Noem mijn naam niet meer
zoals je altijd deed
't is alsof jouw stem
nog van geen afscheid weet

Schrijf me niet
zwijg mij dan nog liever dood
want dit is het leven niet
waarin ik heb geloofd
Ik geloofde in ons
ik omhels je nog steeds
niet om wie wij nu zijn
maar om wie we zijn geweest

Schrijf me niet
vraag niet wat ons heeft bezield
vraag dan liever aan God
hoeveel ik van je hield
en hoeveel ik van je hou
ach, dat weet ik alleen

Ik zie de hemel nog
maar kan er nooit meer heen.
Schrijf me niet...

(tekst: Belinda Meuldijk, muziek: Maarten Peters)

> *'Tante, mogen we vandaag een keer naar het bos?' vraagt Pip met*
> *een lief stemmetje. 'Nou dat lijkt me niet zo...'*
> *'Aah toe Tante,' blaft Woezel.*
> *'Nou vooruit dan,' lacht Tante Perenboom. 'Maar tot de rand, niet*
> *verder en voor het donker thuis!'*
> *De rand van het bos is best een stukje rennen. Woezel en Pip*
> *mogen soms alleen de Tovertuin uit, als ze maar altijd doen wat*
> *Tante Perenboom heeft gezegd.*

(uit: *Woezel en Pip, Hier is de tovertuin!*, Guusje Nederhorst)

'Ik ben nu Tante Perenboom, bij Woezel en Pip. Ik ben er ontzettend trots op, dat ik dat mag doen,' zegt Willeke.
Woezel en Pip zijn twee hondjes die leven in een tovertuin. De wereld is daar altijd zonnig, het is er veilig. De boekjes en de films zijn de basis voor het Guusje Nederhorst Fonds, die hulpbehoevende kinderen de mogelijkheid biedt om hun problemen te vergeten door persoonlijke aandacht.
'Ze hebben het zo liefdevol opgezet, voor Guusje. Guus en Johnny waren natuurlijk ontzettend close.' Guusje Nederhorst, die Woezel en Pip bedacht heeft, en Johnny leerden elkaar kennen op de set van Spangen!, waar hij runner was. Later was hij in haar GTST-periode opnameleider. Ze was als een grote zus voor hem en toen Guusje met Dinand trouwde in Las Vegas was Johnny getuige. Johnny vroeg of ik Tante Perenbooms stem in de tekenfilms wilde doen. Dinand is best streng en in het begin was ik onzeker, wist ik niet hoe ik het moest doen. Ik was bang bij hem in de studio – respect en ontzag, zoiets denk ik. Bij Boudewijn de Groot had ik dat ook. Het zijn mannen die heel direct zijn. John, mijn ex, wist

het ook altijd zo precies. Ze hebben iets magisch. Ze raken je, en ze laten ze je niet zomaar binnen.

En dat is fascinerend, want er zijn natuurlijk genoeg mannen die direct op je willen springen, bij wijze van spreken. Maar zij hadden dat niet. Je bent opeens een klein huppelend meisje, en je wilt het góéd doen voor ze.'

Voor Dinand was het horen van Willeke, helemaal live in zijn eigen studio, een heel bijzonder gevoel. Hij herinnert zich hoe Guusje hem aanmoedigde om haar eens persoonlijk te ontmoeten. 'Je moet eens een keer naar een verjaardag van Willeke.' Hij had het gevoel dat hij op audiëntie ging, zo onder de indruk was hij van haar.

'Haar carrière overspant zeker vier generaties. Ze was destijds na Beatrix de meest populaire vrouw van Nederland, en ze staat open voor alles en iedereen,' zegt hij. 'Er is maar een handjevol van dat soort iconen, op muzikaal gebied. Het is de historie, van wat ze hebben gedaan. Willeke was in mijn ouders' tijd ook al bekend. Ik heb mijn vader in 2006 verloren en mijn moeder drie jaar terug, maar ik weet dat zij graag naar haar luisterden, en dus denk ik als ik Willeke hoor of zie toch weer even aan mijn trotse ouders. Het is een lieve thuishaven. Toen ik haar stem mocht opnemen in de studio, toen ik de speakers aanzette en die stem, die zo overbekend is, hoorde, toen realiseerde ik me dat.' En, wat hij nog het meest hoorde: 'Haar warmte en haar ernst. Je luistert ernaar en je denkt: het komt toch wel goed met ons.'

Willekes Tante Perenboom heeft Edwin Rutten als de Wijze Varen tegenover zich. Edwin, ook al zo'n warme, bekende stem voor generaties kinderen die zijn opgegroeid met Ome Willem. Dinand schrijft en produceert de liedjes en tv-serie van Woezel en Pip al sinds 2005, het jaar nadat Guusje overleed. 'De teksten van Tante Perenboom schrijf ik speciaal met Willeke in gedachten,' zegt de voorman van Kane. Voor de Week van het Vergeten Kind, voor moederdag 2014, werd 'De glimlach van een kind' als duet door Johnny met zijn moeder opgenomen in die studio. Het motto voor 'het vergeten kind' was: Voor ieder kind een lach, dus toepasselijker kon het oude liedje van Willy Alberti niet zijn. Voor Johnny was het de eerste keer dat hij een duet opnam met zijn moeder. 'We hadden wel eens een kerstliedje gedaan, jaren geleden, maar dit was echt. En alles klopte. Ik had er geen enkele moeite mee, het was zo duidelijk voor welk doel het was. Mooier had niet gekund.' De clip die gemaakt werd laat ook Babette van Veen, Daniëlle en Dinand met zijn vrouw Lucy en kinderen zien en de relaxte vriendschap straalt dwars door het scherm, het is één grote happy family. Je begrijpt waarom hij zegt: 'Als ik haar hoor dan denk ik: het komt toch wel goed met ons.'

Met haar familie dichtbij en haar zangcarrière terug op de rails, kwamen ook andere kanten van Willeke tot leven. Een kant die ze eigenlijk nog liever heeft dan die van de showbusiness. 'Met steun die ik als ambassadeur van de Sponsor Loterij kreeg kon ik mijn Willeke Foundation oprichten. Daarmee werd het mogelijk om op te treden voor gehandicapten en bejaarden in kleine zalen, zonder dat het die mensen iets kost. De optredens in bejaardenhuizen leerden mij veel, heel veel. Om van mens tot mens te zingen op ooghoogte, dan ben je één met je publiek. Podium schept afstand, ik moet de zaal in. De polonaise met de verzorgers: het gevoel dat zij krijgen als anderen blij zijn. Door het delen van die lach voel je je beter. Het is niet zomaar een gezegde, dat lachen gezond is. Dat ís gewoon zo. Ik geniet altijd zo van het feit dat ik dat mág: dat ze me uitnodigen om te komen zingen.' Dat gevoel stamt nog uit de tijd dat ze haar vader zag zingen voor Witte Bedjes. 'Ja, je naam begint met een A dus ben je de eerste die ze bellen voor een benefietje. Maar vader deed het met alle liefde. Het geheim van de wisselwerking tussen zanger en publiek gaf Willeke op haar beurt prijs aan een heel bekende ster, die zelfs voor een uitverkochte Royal Albert Hall in Londen staat. Guus Meeuwis kende Willeke natuurlijk wel van gezamenlijke optredens voor tv of gala's voor het goede doel, maar hij herinnert zich dit moment nog in het bijzonder: 'We waren samen in het stadion van psv, bij een afscheidsdiner voor de toenmalige voorzitter Van Raaij, in 2001.

Ik zou daar zingen, net als Willeke, en tsja, optreden voor etende mensen, wier aandacht je dan moet trekken, is niet mijn favoriet, zal ik maar zeggen. Ik was niet nerveus, maar al met al wel wat gespannen. Er stond daar alleen maar een vleugel, en er ging verder niets gebeuren als ze aan het kauwen waren. We stonden gewoon gelijkvloers met de gasten, en om iemand toe te zingen vind ik toch altijd wat precair. Heel ongemakkelijk. Dus ik was een beetje aan het ijsberen. Willeke zag dat en zei: "Kom 's even zitten, Guus. Je moet daar opkomen en dan moet je je armen spreiden. Wat je eigenlijk wilt zeggen met dat gebaar is: leg even die vork neer en kom 's heel dicht bij mij." En dat heb ik gedaan en dat werkte. Ik heb er later op gelet, want ik heb vaker met haar mogen optreden, en zij doet dat als geen ander. Feitelijk nog overtuigender dan bij mij. En nu ik weet waaróm ze het doet, vind ik het nóg interessanter en vooral grappig om te zien wat er gebeurt als zij opkomt. Dat gebaar van: kom maar bij mij en luister maar naar me, want hier is het goed. Ik vergeet het nooit meer. Het werkt ook in een theater, in Paradiso, overal, als je maar laat zien dat je wilt dat ze komen, omdat je wat te vertellen hebt.
Ik heb zelfs een liedje dat erover gaat.'

WEET DAT JE ALTIJD WELKOM BENT

Armen open, afgesproken
Weet dat je altijd welkom bent
Armen open, rode loper
Welkom, dag en nacht

(uit: 'Weet dat je altijd welkom bent', Guus Meeuwis)

STEMBANDEN EN SOUNDCHECKEN

Met open armen en in een prachtige avondjurk verwelkomt
Willeke haar publiek, als het om haar concerten gaat. En met
dezelfde gastvrije glimlach, maar nu met een flesje jenever in haar
rechterhand, doet ze dat als Na Druppel in *De Jantjes*.

Soms lijkt een loopbaan meer op een wielercircuit in een sporthal
dan op een rechte lijn. Want je komt steeds weer dezelfde mensen
tegen die je al kende van vroeger. Zeker in Nederland, waar vriend
en vijand in de file staan op de rode loper. Het is een perpetuum
mobile, en sommige verhoudingen worden er beter op, groeien uit
hun kinderziektes en worden innig. Andere waren altijd al goed,
maar 't duurde even voor de ideale klik er was.

Barrie Stevens, die als een jonge danser in 1965 al naast Willeke
in *De Corrie Brokken Show* stond, is nu, vijftig jaar na hun eerste
kennismaking, haar choreograaf bij *De Jantjes*.

Hij doet het me soepel voor: de scissorstep die bij Willekes
welkomsritueel hoort. Het is een kadansstap, één been voor, één
been achter en een kleine buiging. Een danspas zo oud als de
wereld, maar Willeke maakt 'm alsof-ie gisteren is bedacht. 'Ze
heeft allure, en ze weet precies wat ze kan of wat te moeilijk is voor
haar. Als je haar iets probeert op te dringen, dan gaat ze dwars-
liggen. Wil de mening van twaalf verschillende mensen horen en
doet dan uiteindelijk gewoon wat ze zelf wil. Dat kan problema-
tisch zijn. Maar haar gevoel voor stijl is feilloos.

We hadden, toen ik tien jaar geleden als vormgever en choreograaf met haar aan een van haar shows werkte, een *bumpy ride*. Waren niet totaal gelukkig met het resultaat. Maar bij *De Jantjes* viel alles op zijn plaats. Een fenomeen zoals zij is zeldzaam. Het publiek houdt van haar. Maar ze heeft haar sporen dan ook echt verdiend, nooit zomaar gekregen.'

Als ik de scissorstep noem, doet Willeke hem onmiddellijk, en met verve. 'Barrie Stevens, die man is zó lief. Hij schreeuwt nooit, wordt nooit kwaad, is altijd geduldig.'

Repetitie met de cast van De Jantjes

En dat terwijl hysterische razernij en huilende artiesten normaal zijn in de repetitieruimte van de choreograaf. Dat soort taferelen vind je niet bij Barrie Stevens. Hij glimlacht een beetje verlegen, met diezelfde jongensachtige blik die hem geliefd maakte in *TiTa Tovenaar*, en datzelfde Engelse accent: 'Je moet Willeke de credits geven, zij speelt de rol van haar leven, *after all*.'

En dat kan Willeke, na zorgvuldige overweging, omdat ze een compliment nooit zomaar wil aannemen, beamen: 'Na Druppel is zalig om te doen: ik hoef me geen zorgen te maken over m'n lijn, want Druppel is wat je noemt een "volslanke vrouw", geen zorgen over m'n haar want dat is een pruik als een vijftig-tinten-grijze-ragebol, geen zorgen over mijn gezicht, als ik al wallen héb, dan teken ik er rustig nog een paar bij, en ook niet over wat ik aanheb, want die victoriaanse jurk met al die rokken moet gescheurd en smerig zijn, en toch staat-ie geweldig.

Het enige wat wél van groot belang is, is dat het geluid goed is. Het verhaal speelt zich af in de Jordaan. Dat betekent: galm, galm en nog eens galm.

Als het te droog is, komen die liedjes niet over. En dat lekkere vette gniffeltje van Na Druppel, dat moet je ook kunnen horen achter in de zaal. Dus over het geluid heb ik heel wat woorden gehad, want dan ben ik echt niet die lieve Willeke die altijd zonnig is, hoor. Dan kan ik echt een feeks zijn! Vraag maar aan de geluidstechnicus!'

'Ik kan direct, bij de eerste zin die ze zingt, horen of ze goed in haar vel zit,' zegt Jan van Dijk. Iedere zaal is anders qua geluid, en er moet dus altijd gesoundcheckt worden.

We zitten achter het mengpaneel van het geluid in een lege zaal. Rijen en rijen knoppen, een monitor, een draaiboek: een eiland in een zee van rood pluche. De voorstelling zal over een klein uur beginnen. Op het podium lopen mensen van het decor en het licht de lampen bij te stellen, toneelbenodigdheden op hun plaats te schuiven.

In het sinaasappelkistje dat naast die lantaarnpaal staat waar Willeke een aantal keren zal staan zingen, zit een extra speaker verborgen. Boven het toneel heeft Jan over de hele breedte ook nog monitoren gehangen, die de spelers het geluid van het orkest dat in de coulissen zit laten horen, plus de zaalreflectie. Gewoon, om de acteurs meer 'ruimte te geven'.

Voor musicalacteurs is het belangrijkste dat ze elkaar en de drums en de piano kunnen horen. Ze moeten hun stem kunnen pitchen aan de hand van de piano, de toon raken, en daarna kunnen losgaan. Het horen van alleen hun eigen stem, zoals dat via 'oortjes' gebeurt bij zangers om alle andere geluiden via de monitor uit te sluiten, zou voor musicalacteurs juist verkeerd werken. 'Vera Mann, Joke de Kruijf, ze zouden er doodongelukkig van worden als ze alleen hun eigen stem zouden horen. Vooral bij de nummers *per tutti*, waarbij ze dus allemaal tegelijk zingen. En daarbij dansen ze ook nog, veranderen voortdurend van plaats, moeten reageren op de anderen, er gaat zo veel om in hun hoofd.' Musical zingen of solo zingen: het verlangt een totaal andere discipline van de zangers. Musicals, afkomstig van opera, waren vroeger helemaal niet versterkt. De sterren moesten tot ver achter in de zaal hoorbaar zijn, en uit die tijd stamt dus ook het 'belten' oftewel keihard zingen. Groot en volks. Dat is met de nieuwe techniek niet meer nodig, maar het hoort nog wel bij het genre. Jordaanzangers zijn bovendien gewend aan heel veel galm. 'Ik weet waar Willeke vandaan komt, ik weet wat ze bedoelt als ze meer galm wil. Maar het kan niet altijd. De orchestratie van *De Jantjes* is opgebouwd met gitaar en accordeon. Als je er te veel galm op zet lopen de tonen in elkaar over en wordt het één grote brij. Maar te weinig galm en het wordt gortdroog.'

We zijn even stil, kijken naar het lege decor op het toneel, de Amsterdamse grachtenhuizen met de Westertoren op de achtergrond. Het zwijgen is ons opgelegd door ontroering: door het geluid van een stem die de zaal in stroomt, alsof er ergens verderop, onzichtbaar in het Amsterdam van de vorige eeuw, een meisje loopt te zingen op straat. Jan glimlacht en fluistert: 'Da's Roos. Die oefent voor een auditie die ze binnenkort moet doen.' Wat mij betreft heeft ze die rol, welke het ook is. Een engel had niet mooier kunnen zingen. Rosalie de Jong pakt dit vrije momentje om, begeleid door een paar orkestleden, haar auditeernummer te oefenen. Je realiseert je ineens dat het spelen in musicals betekent dat je na iedere tournee weer opnieuw moet proberen om werk te vinden. Niets is voor altijd. Straks is Blonde Greet klaar en moet je weer je brood verdienen met een andere rol, en iedere keer moet je weer opnieuw beginnen. Het is een onzeker bestaan. Willeke heeft van díé onzekerheid op het moment geen last meer. Het

regent aanbiedingen voor shows, musicals, tv-programma's. Maar
dat is niet altijd zo geweest, en haar huidige succes heeft ze mede
te danken aan haar zelfkennis: ze weet hoe haar stem het beste
tot z'n recht komt en sluit weinig compromissen als het daar om

De Jantjes, groots en volks

gaat. 'Ze is moeilijk', wordt er dan gezegd. 'Willeke kan behoorlijk
clashen,' beaamt Jan. 'Ik wijt dat aan onzekerheid over de kwaliteit van het geluid. We werken met headsetmicrofoons, waarbij
dus meer geluid wordt opgepakt van de omgeving waar de zanger
staat dan met een microfoon waar je echt ín zingt. Ik kan haar
veel minder monitor teruggeven dan ze gewend is. Maar ja, ik heb
daar zeventien spelers staan, en iedere zaal klinkt anders. Nu we
extra monitors hebben opgehangen en microfoons op de plekken
waar zij zingt, zijn de ruzies voorbij. Willeke heeft er nu meer

vertrouwen in, ze gaat vrijer spelen. Ik merk dat in haar zang, dat ze meer durft nu.' En de zaal merkt het ook, bewust of onbewust. Er wordt uit volle borst meegezongen zodra het publiek Willekes stem hoort.

Dat een stem een instrument is dat je na afloop niet in een viool-kist kunt opbergen, om het bij het volgende optreden weer uit te pakken, is iets wat niet iedereen begrijpt.
'Elke ochtend als ik wakker word is het eerste wat ik denk: hoe is het met mijn stem?' Ze overdrijft niet. Ik ken het, ik heb met een zanger samengewoond.
'Het is een constante zorg. Je kan niets zonder die stem. Als Na Druppel heb ik het wat makkelijker dan wanneer ik met mijn eigen band op tournee ben. Na Druppel mag wel eens hees zijn, ze is tenslotte een zwalkende dronkenlap, en zwaaiend met haar flesje jenever verwacht niemand een stem als een nachtegaaltje.
Maar het gevaar dat een verkoudheid, of zelfs maar een late nacht of een podium waar het een beetje tocht oplevert, dat snapt meestal alleen de zanger zélf.
Je kunt bovendien al in een paar seconden je stembanden verpesten als het geluid dat je op het podium hoort niet goed is. Dan ga je harder of anders zingen om te compenseren, en voor je het weet hangen de rafels eraan. Er zijn heel wat zangers die de slijtage aan hun stembanden niet te boven zijn gekomen. En er zijn heel wat concerttournees geweest die gecanceld moesten worden, met alle gevolgen voor het inkomen van de andere mede-werkers. Zo'n kleine veertig mensen ineens werkeloos. Je hebt een hele verantwoordelijkheid, met jouw naam op de poster, waar het publiek op afkomt.
'Het is een van de weinige dingen waar ik heel kwaad om kan worden. Zo boos dat niemand me meer herkent. Ze schrikken dan ook zo, omdat ik natuurlijk niet het imago heb van een bitch. Die lieve Willeke... Maar als het om het geluid gaat...
Boos worden vond ik vroeger eigenlijk onmogelijk. Ik kón het niet eens, toen ik bijvoorbeeld in *De Kleine Waarheid* speelde. Dan had ik een scène waarin ik kwaad moest worden en dan probeerde ik

te schreeuwen, stonden ze allemaal naar me te kijken van: wat probeert zíj nou? Ik klonk gewoon niet geloofwaardig. Nou was dat voor Marleen Spaargaren ook niet erg, want dat wás gewoon een heel zachtaardig en bescheiden meisje. Maar zelf heb ik moeten leren om te schreeuwen en te vloeken. Gewoon, zoals een acteur dat leert. In mijn geval was Jeroen Krabbé daar een goede leraar voor.

Ik kan het nu ook in het echt. Als ik me kwaad maak kan ik heel goed zeggen wat ik wil en wat ik niet wil. Ik ben me er op zo'n moment helemaal van bewust ook, dat het een heel verschil is met hoe ze dáchten dat ik was. Zo...! Wat een kreng!'

Maar hoe ze dénken dat Willeke is, daar heeft ze soms wel eens genoeg van. Tot haar grote tevredenheid, zegt ze, lekker achter-overleunend op de sofa met een poes links en een poes rechts van haar, tot haar grote vreugde dus, werd ze in 2008 uitgeroepen tot de 'Stoutste vrouw van het jaar'.

'Het was voor een boek van Marlies Dekkers en Heleen van Royen, waarin elf bekende vrouwen anoniem antwoord gaven op een aantal vragen over hun seksleven. Er stonden dingen in als: heb je het wel eens met een collega gedaan, of met een andere vrouw, of met z'n drieën. Zo'n soort lijstje was het.'

De poezen Tom en Jerry beginnen te spinnen. Dat komt doordat Willeke ze aait, maar misschien ook omdat ze zelf iets van een spinnende kat heeft nu. Want *Stout* verscheen toevallig net op het punt in haar leven dat ze haar imago van 'het eeuwige meisje' zat was. 'Onschuldig en naïef', dat kan een strak keurslijf worden voor degene die het moet dragen. Dat krijg je ervan als je niet rookt of drinkt of geen drugs gebruikt: je krijgt zo'n frisse naam dat niemand er meer iets vies bij kan bedenken. En ook geen seks. En dat is nou juist wél een hobby, althans, met mannen van wie ze echt houdt.

'Vrijen is iets wat ik vroeger heel graag gedaan heb, hoor.'
'Hoezo: vroeger?'
Ze glimlacht. 'Ik mag ook wel eens iets voor mezelf houden. Maar om bij vroeger te blijven: met drie echtgenoten en drie scheidingen

achter de rug werd ik moeiteloos de stoutste vrouw in dat boek.'
Opeens zat ze bij *De Wereld Draait Door,* omringd door mensen
die met een heel andere glimlach dan die van een kind naar haar
keken. Ze genoot ervan.

Om als compleet mens gezien te worden, nu eens niet door een
roze, maar door een rode bril. Ze grijnst haar stoutste grijns,
en terwijl ze opstaat, de poezen van haar af vallen en ze naar de
keuken loopt voor een glaasje wijn zegt ze met haar Na Drup-
pel-stem, heel terloops: 'Ik heb 'm vroeger niet versleten met
piesen, hoor!'

Hare gepensioneerde Majesteit

De dochter glimlacht trots als Willy in 1978 een lintje krijgt

VAN PRINSES TOT KONINGIN

Van Na Druppel naar koningin Beatrix is, als je Willeke Alberti heet, maar een kleine stap.

'Wat ben ik een geweldig bevoorrecht mens, dat ik gevraagd word voor dit soort dingen!' Ze heeft het over de nieuwe Sinterklaas-dvd, waarin zij te zien is als Hare gepensioneerde Majesteit. Er zit een koninklijke lijn in Willekes levensverhaal. Van het eerste sigaretje dat ze Juliana aanbood bij de première van *Rooie Sien*, tot de keren dat ze gezellig in het paleis aan tafel zat te babbelen met Bea en Claus, Bernhard en Willem-Alexander, en het moment dat ze zelf de pruik en het hoedje opzette en koningin werd – deze keer niet van de homo's maar van het hele land. Ze heeft groot respect voor de familie, die zij door haar gewone manier van doen van hun meest ontspannen kant leerde kennen.

Misschien hielp dat bij haar rol in *Sinterklaas en de pepernotenchaos*?

Daar staat ze, in een zonnige moestuin met een kistje groenten onder haar arm: koningin, pardon, inmiddels prinses Beatrix in haar vrije tijd. Lekker wortel trekken uit eigen grond. Een lakei spreekt haar verwijtend toe omdat ze zich zo onconventioneel gedraagt, maar dat toontje pikt ze niet en, zoals we dat bij onze voormalige koningin wel eens zagen, ze blijft rustig met beide benen in de modder staan.

Als even later een enorme luchtballon met de jonge helden opstijgt, blijft de vorstmoeder achter.

'Misschien even wuiven?' oppert ze als een buikspreker, precies zoals Beatrix dat deed tijdens de troonopvolging. Het gezicht in de plooi, zoals de mensen dat verwachten van haar, maar met een laconieke humor onder de oppervlakte. Er zijn zo veel overeenkomsten tussen Willeke en de prinses dat het bijna jammer is dat geen van haar drie echtgenoten blauw bloed had en zij er geen bordes of een gouden koets voor haar deur aan over heeft gehouden. Alleen een gouden kooi, een onzichtbare kijkdoos waar een onuitgesproken protocol geldt, en waar je de voor- en nadelen pas merkt ten tijde van groot succes of gruwelijke tegenspoed. Op z'n best is het een vrije tafel in een vol restaurant, kaartjes voor een uitverkocht concert, haute couture die je gratis mag dragen, nooit in een volle wachtkamer bij de dokter hoeven zitten en, in Willekes geval, dingen kunnen regelen voor ouderen of gehandicapten, die deze mensen zelf niet voor elkaar krijgen.

Op z'n slechtst betekent de gouden kooi dat iedere dag van je leven, waar je ook komt – bij de slager, de bakker, die leuke tentoonstelling, de dierentuin met je kleinkinderen, kortom: alle openbare plekken – de mensen uitschuifbare oren krijgen om alles wat je zegt te kunnen horen. Terwijl als zij zelf iets tegen elkaar zeggen, ze in een poging om vooral 'normaal te doen, ook al staat Willeke Alberti vlak naast me!' een veel luidere toon aanslaan en heel nadrukkelijk gaan praten.

De hele wereld om je heen verandert van gedrag, wordt zelfbewust en onnatuurlijk. Zelfs in Blaricum en Laren, waar hele zwermen BN'ers genesteld zijn, en de mensen dus wel wat gewend zijn, is die hiërarchische structuur op de achtergrond voelbaar. Bovendien is de reactie op haar aanwezigheid onderhavig aan wat er het laatst over haar in de media is geschreven. Dus medelijden, spot, afgunst, bezorgdheid – als je zelf de bladen niet gelezen hebt is de reactie van de buitenwereld raadselachtig en dan kan het heel bevrijdend zijn als iemand het even uitlegt. 'Ik las op Twitter dat je dood bent, nou, gelukkig dus niet zo, hè?' Willeke merkt er, net als de meeste collega's met een sterrenstatus, al lang niets meer van. Beroepsdeformatie, survival, gewenning, alles bij elkaar worden dat oogkleppen en oordoppen, die je op of af kan zetten.

Er zijn echter momenten bij waarop je de armen spreidt, zoals Willeke aan Guus Meeuwis leerde, en de mensen wilt toelaten. Dat gebeurt niet alleen op het podium.

Op 11 april 1996 ging Willeke, toen ze net een paar maanden in Laren woonde en haar huwelijk met Lerby in goede harmonie had beëindigd, naar het gemeentehuis. Voor Kaj, die een Deen was, wilde ze een Nederlands paspoort in orde maken. Keurig gekapt en gekleed, zoals altijd wanneer ze zich buitenshuis begeeft, ging Willeke naar het loket van de vreemdelingenpolitie, maar daar werd ze aangesproken door Astrid Joosten. En die lokte haar mee naar de trouwzaal.

'Ik kwam daar binnen en daar zaten álle mensen van wie ik hou. Mijn kinderen, Paul de Leeuw, Jeroen Krabbé, Hans van Willigenburg, John de Mol senior, echt iedereen! Burgemeester Theo Hendriks kwam naar me toe, en begon met: "Het heeft Hare Majesteit behaagd om..." Nou, ik heb me daar een potje staan janken! Dat lintje was het allermooiste wat me is overkomen. En precies op het moment dat ik een nieuw leven moest beginnen!' De burgemeester sprak lovende woorden. 'Dit is zomaar een dag,' zei hij, doelend op het lied van Willeke. 'Maar niet elke nieuwe inwoner wordt zo verwelkomd.' Hendriks schetste haar rijke carrière, noemde haar een levende legende en schonk aandacht aan haar werk voor liefdadige doelen, dat samen met haar grote betekenis voor de Nederlandse muziek de aanleiding was tot het verlenen van het lintje.

'Willeke heeft drie Foster Parents-kinderen, was jaren ambassadrice van Jantje Beton, doet veel voor de Hartstichting, treedt vaak op voor kinderen met een geestelijke en lichamelijke beperking, ze zet zich regelmatig in voor minderbedeelden, en bijna niemand weet dat ze heel lang een ziek Surinaams jongetje persoonlijk heeft begeleid, dat nu helaas is gestorven.'

Willeke hoorde het allemaal heel geëmotioneerd aan. Aanvankelijk kon ze geen woord uitbrengen. Na de plechtigheid werd ze in de trouwzaal bedolven onder de felicitaties.

Haar moeder Ria zei: 'Dit is toch prachtig voor ons kind. Haar vader kreeg in 1978 dezelfde onderscheiding toen hij 52 was, en Willeke nu op haar eenenvijftigste. Daar ben ik zo trots op. We zijn heel koningsgezind.'

Broer Tonny had het allemaal voor haar geregeld, samen met Astrid Joosten, voor het programma *De show van je leven*, waarvan het leeuwendeel een paar maanden later zou worden opgenomen in de studio.

De volgende dag werd ze door iedereen die haar tegenkwam gefeliciteerd: op straat, in de winkels, overal waren de mensen oprecht blij voor haar. Het was een grote warme welkomstdeken die om haar schouders werd geslagen.

Ze was Ridder in de Orde van Oranje-Nassau en ongelooflijk trots op de medaille en het lintje.

Afgezien van de onverwachte ridderslag wordt Willeke niet blij van verrassingen. Dingen die ze niet in de hand heeft kunnen haar erg onzeker maken.

De show van je leven was een programma dat bestond uit een flink

Tranen van geluk voor haar koninklijke onderscheiding

aantal onverwachte opdrachten en vragen, waaruit de hoofdpersoon een keuze moest maken.

Dat Johnny en Kaj een prachtig gedicht voordroegen vanaf de balustrade, dat viel natuurlijk onder het kopje: leuke verrassing. Dat was ontroerend. Mooi.

Maar toen kwam 'de doos van het dilemma' op het podium. Daaruit stapte de directeur van het Ronald McDonald Huis die Willeke vroeg om haar lintje zodat het voor het huis geveild kon worden.

Leuke verrassing? Nee. Dilemma? Jazeker!

Daar stond ze, voor de camera's, voor het oog van de wereld, geconfronteerd met de vraag of ze het mooiste moment van haar leven weer weg wilde geven.

Iedereen mocht stemmen: zou ze het doen of niet?

'En los van alles wist ik niet eens dat je zo'n koninklijke onderscheiding niet weg mág geven!' roept ze nu, nog steeds verbaasd. Deed ze het? De tranen stonden in haar ogen, want het was echt hetgene waar ze in haar hele leven het meest trots op was geweest. En ze had het nog maar zo kort. Haar hart brak. Maar ze gaf het weg. Ging overstag voor het goede doel.

Er zijn in de geschiedenis heel wat BN'ers door de mand gevallen als het ging om impromptu liefdadigheid: sterren die weeskindertjes opzij duwden, zwerfhondjes schopten, zeehondjes lieten vallen, donaties in eigen zak staken, de naam van hun pleegkind niet meer wisten, benefietconcerten ten bate van hun eigen kind afzegden. Noem maar op. *Bananasplit*-momenten genoeg, waarvoor ze geen toestemming gaven om uit te zenden. Maar met deze moeilijke beslissing toonde Willeke haar oprechte betrokkenheid bij de goede doelen waar ze voor stond en altijd zal staan. Zuiver. Puur. En verder?

'O, ik was zó blij dat het niet waar was! Dat ze me alleen maar op de proef hadden gesteld!'

'En was je niet boos dan?'

'Op wie?'

'Op de makers van het programma?'

'Ja. Hartstikke kwaad. Vanbinnen...'

DICHT BIJ JOU

Dicht bij jou
Wil ik mijzelf vergeten
Dicht bij jou
Als het ware verkleefd
Wat er leeft
Kan de storm doen zwijgen
Kan de droom ontstijgen
Van een hoopvol hart

Dicht bij jou
Wil ik jouw liefde heten
Dicht bij jou
Kan mijn geloof niet stuk
Mijn geluk
Zal ik nu eind'lijk kennen
't Is echt wel even wennen
Voor een hoopvol hart

Ik kan het soms nog niet geloven
Ik hou het liefst mijn ogen dicht
Mijn werk'lijkheden zijn verschoven
't Vertrouwde donker werd toch licht

Dicht bij jou
Moet ik het gaan vertrouwen
Dicht bij jou
Gaat de angst voorbij
Heel dichtbij
Zal alle argwaan verflauwen
Zal de droom zich ontvouwen

Voor een hoopvol hart
Dicht bij jou
Hoef ik niet meer te wachten

Dicht bij jou
Zie ik de werk'lijkheid
Dat werd tijd
Nu leer ik eind'lijk lopen
Alle ramen gaan open
Van het hoopvol hart

Dicht bij jou
Mag ik nu echt vergeten
Dicht bij jou
Hoe ik de weg niet wist
Heb gemist
Hoe je echt hoort te leven
Dat je niet moet zweven
Met een hoopvol hart
Ik kan het soms nog niet geloven
Ik hou het liefst mijn ogen dicht
Mijn werk'lijkheden zijn verschoven
't Vertrouwde donker werd toch licht

Dicht bij jou
Wil ik jouw liefde heten
Dicht bij jou
Kan mijn geloof niet stuk
Mijn geluk
Zal ik nu eind'lijk kennen
't Is echt wel even wennen
Voor een hoopvol hart

(tekst en muziek: Charles Aznavour, Coot van Doesburgh)

Ook al had Willeke in 1996 het Belgische Eksel met een gebroken hart verlaten, om dat in Nederland weer te lijmen, het was niet zo dat daarmee ook een eind kwam aan haar liefde voor de zuiderburen. Integendeel, ze trad nog altijd graag op in het gastvrije

Vlaamse land, waar ze al sinds het winnen van het Knokkefestival de beste herinneringen bewaarde.

Toen ze in 2011 met de jonge zanger Christoff 'Niemand laat z'n eigen kind alleen' zong en ze vervolgens op de eerste plaats in de hitparade belandden, was dat toch een verrassing.

'Christoff en ik traden op in de Grenslandhallen in Hasselt voor tienduizend mensen, en de warmte en gastvrijheid waarmee ik overspoeld werd was geweldig. We zaten in een prachtig hotel, het eten was zalig, alles perfect verzorgd. Je beseft dan ineens weer dat ze in België zo respectvol omgaan met hun "oude vedettes", zoals in Nederland met een Aznavour of Sinatra: je bent gewoon niet minder omdat je ouder bent, integendeel.'

De Vlaamse sterren van de afgelopen eeuw, zoals Will Tura en de veel te vroeg gestorven Louis Neefs, waren de mensen met wie Willy en Willeke optraden, maar de sterren van de nieuwe generatie zijn haar ook dierbaar. Kathleen van K3 zong in 2009 'Samen zijn' met Willeke.

'Een prachtige stem en een lieve meid. Ik denk dat ze vaak onderschat worden, maar K3 maakt toch geweldige liedjes voor alle kinderen. De professionaliteit en de vriendelijkheid, dat valt me iedere keer op als ik in België optreed. Christoff was de aanleiding voor een nieuwe nummer één, maar ze waren me nog niet vergeten daar, ze wisten zelfs nog alles van *De Kleine Waarheid*!'

DE ONMISBARE HANDEN

Er dwarrelen herfstbladeren neer op mijn schouders, als ik door de stille laan naar haar huis wandel. Het hek, dat de hele zomer openstond, is vandaag gesloten, alsof het de naderende winter wil tegenhouden.

Er komt rook uit de schoorsteen, het is al bijna tijd voor erwtensoep en voor de stamppot die Willeke meeneemt, om in een artiestenfoyer ergens in het land op te warmen vlak voordat de voorstelling begint.

Ze is moe, heeft ze me verteld. Niet eens zozeer vanwege de tournee van *De Jantjes* of de vele besprekingen voor haar Carré-jubileum, maar meer vanwege de persoonlijke zorgen. Want als moederkloek van een Mollenfamilie én de Alberti-clan, zijn de sores nooit over, en is niet alles op te lossen met een lied en een glimlach.

Het zware hoge hek zwaait statig voor mij open. Ik kijk om, naar de goudgele laan. Ergens in dit prachtige dorp waart een gek rond die met dreigbrieven strooit. Niet aan Willeke gericht, maar wel aan haar ex-man John en familie.

Als ze bezorgd haar zoon Johnny belt en hoort dat hij nu voetbal zit te kijken en het verdomme 1-0 is voor Kazachstan, slaakt ze een zucht van verlichting. Zolang hij voetbal nog steeds belangrijker vindt, is er kennelijk nog niets aan de hand. Maar het is wel een gruwelijk nadeel van die gouden kooi waarin zij leven. Dat, en de magneet die rijkdom heet. Die gaat dan niet op voor Willeke, maar wel voor haar ex John. Zo treft het haar dus indirect ook. Want haar familie, inclusief de schoonouders van haar exen, is haar bijzonder dierbaar. Ze prijst zich gelukkig met zulke lieve, waardevolle mensen om zich heen. Maar liefde maakt kwetsbaar, en nooit is dat zo duidelijk als wanneer iemand van buitenaf het gemunt heeft op je lievelingen.

Op momenten als deze keer je je naar binnen, sluit je de hekken, trek je de ophaalbrug omhoog en kijk je naar de onzichtbare handen die je vertrouwen kunt en die je helpen, al jarenlang.

Het huis is nooit leeg. In de keuken staan pannen te pruttelen en gaan kastjes open en dicht. Dat is wat me opviel toen ik hier voor het eerst over de drempel stapte. Vandaag kijk ik niet alleen naar die helpende handen, maar naar het gezicht dat erbij hoort. De trouwe verdedigers van dit kasteel, de onmisbare steunpilaren. Marijke Genemans is er daar een van.

'Ik ben geen fan,' zegt Marijke prompt, als ik haar vraag naar haar Willeke-gevoel.

'Een aantal liedjes van haar vind ik wel heel mooi. Maar ik hou meer van Lionel Richie. Daar ben ik helemaal gek van. Of Symphonica in Rosso. Heerlijk.'

Waarom krijg ik dan toch het gevoel dat ik een klap met een deegroller van haar krijg als ik Willeke ook maar een haar zou krenken? Die vertrouwelijke band is begonnen met het meest dierbare wat een moeder aan iemand kan toevertrouwen: haar kind.

'Ik ontmoette haar via iemand in de sauna in Huizen. Willeke zocht iemand die Johnny zwemles wou geven.'

Marijke was zwemlerares bij het Sportfondsenbad in Bussum, zevenentwintig jaar lang. 'Ach gos, die kleine, ik zie hem nog staan aan de rand van het grote bad.'

Ze leerde Johnny het hoofd boven water te houden en werd veel meer dan alleen zwemlerares.

'Toen Willeke naar het buitenland zou gaan, naar Duitsland met Sören, zou ik in eerste instantie meegaan, voor de kinderen. Maar ik werd ziek, moest worden opgenomen. Ziekte van Crohn, en dus bleef ik in Nederland. Kreeg wel een kaartje met Kerstmis, dat soort dingen. Toen Willeke na een aantal jaar terugkwam en bij Sören weg was, zat ze weer in die sauna en zocht iemand die op Kaj kon passen.

"Jaaaa, ken je Marijke nog? Die wil uit het zwembad weg, dus..."

Ze belde mij en toen ben ik nooit meer weggegaan. Kaj noemde mij "Maroegia" toen hij klein was, en dat doet hij nu, twintig jaar later, nog steeds.

Ik was erbij toen hij zeven was en we 's nachts uit het dakraam naar het onweer zaten te kijken, betrapte hem toen hij zijn eerste stiekeme sigaretje rookte en maakte mee dat hij zijn eerste vriendinnetje kreeg, met wie hij overigens nu getrouwd is.

Ik heb hem leren fietsen, banden plakken en koffiezetten. Een leven lang dus. We hebben zo veel meegemaakt. Toen Kaj het huis uit ging, dacht ik: nou ben ik mijn baan kwijt. Maar nee dus, ik mocht blijven. En nu zit ik er nog.'

Van tijd tot tijd ging ze mee naar het theater, naar *Hello Dolly!* zelfs elke avond. 'Erg leuk om te zien, ik genoot. En ik maakte mezelf nuttig in de kleedkamer door die meiden daar te helpen, met strijken en zo. Dan doe je tenminste wat. De sfeer is altijd leuk, of je nou in de coulissen werkt of in de zaal zit.'

Nieuwe projecten, nieuwe plannen, nieuwe mensen, Marijke heeft ze allemaal zien komen en gaan. Ze geniet nog steeds.

'Als Marijke een week weg is, voel ik me helemaal ontredderd,' zegt Willeke, terwijl ze wacht tot Marijke haar pannetje voor die avond in de schouwburg klaar heeft.

'Ze doet alles voor me, zodat ik me niet druk hoef te maken over het huishouden of mijn agenda. Ze heeft mijn moeder ook nog jarenlang meegemaakt, ik hoef haar niets uit te leggen. Zulke mensen heb je nodig, anders kun je je niet concentreren op je vak. Ze is een rots in de branding waar ik altijd van op aan kan.'

De rots doet nu de stamppot zorgvuldig over in een plastic bakje. Ik laat de heerlijke huiselijke geur achter in de keuken en loop via de gang vol gezichten van vroeger – Willy Alberti knipoogt naar me – en een vloer vol speelgoed van nu – Finns Duplo, Willeke is oppas-oma vandaag – naar het kantoor.

'Willeke Alberti Entertainment, goedemiddag, met Ronald, hoe kan ik u helpen?' Hij is aan de telefoon, zittend aan een bureau tussen hoge muren vol gouden platen en posters. De man die Willekes lopende zaken behandelt, is destijds ook lopend bij haar gekomen.

Ronald was een verzamelaar. Werkte bij v&d en verzamelde op single alle groten van toen. Er ontbrak nog wat van Willeke en Willy, vandaar dat hij zich in 1982 naar de beroemde platenzaak Disco Alberti in Osdorp begaf. In zijn Willeke-collectie ontbraken haar twee eerste singletjes uit 1960-1961. Hij nam de trein en de tram naar het Osdorpplein. Want bij Willekes eigen winkel zouden ze die toch zeker wel hebben? Nou, niet dus.

Wat? 'Nee, die hebben we niet meer!' vertelde Tonny hem. 'We zijn

een moderne platenzaak en we hebben alles van de top veertig.'
Disco Alberti stond wijd en zijd bekend als dé zaak voor geïmporteerde platen uit Amerika en Engeland. Je kon er dingen vinden die geen enkele andere winkel had. Maar geen Alberti's uit de jaren zestig.

Al pratende met Ronald kreeg de broer van Willeke wel een ander idee.

'Tonny zei dat ik op zaterdagmiddag terug moest komen, want dan zou Willy Alberti er zelf zijn. Ik weet nog dat ik verbaasd was, dat ik het een hele eer vond dat hij mij zou willen ontmoeten.

Hij had een doos vol oude platen van hem en Willeke, alles wat ik zocht en nog meer. "Maar ik heb nog veel mooiere dingen," zei hij. Hij nam me mee naar de kelder van de winkel en daar stonden stapels met plastic kratten, allemaal vol met originele krantenknipsels, persfoto's... om van te kwijlen.'

'Maar waarom wordt daar niets aan gedaan? Dit moet toch allemaal geordend worden, in mappen gedaan?' vroeg Ronald aan Willy.

'Is dat niks voor jou?'

'Ja, dat is zeker wat voor mij. Maar dat hebben we nooit in een paar jaar op orde.'

'Ach!' zei Willy, 'het ligt er al twintig jaar, dus die tien kunnen er ook nog wel bij...' Niet wetende dat hij drie jaar later ziek werd en zou overlijden, natuurlijk.

'Het was een hobby dus ik hoefde niet betaald te worden,' vertelt Ronald. 'Maar ja, als er dan dingen dubbel waren, dan wilde ik daar voor mezelf ook wel een archief van aanleggen. Zo ben ik in 1982 begonnen, en zo ben ik bijna tot op de dag van vandaag nog bezig.'

Ik weet wat hij bedoelt, ik ben immers achter Willeke aan op zolder door de kast gekropen naar het middelpunt van planeet Willeke, waar een kilometerslang archief stond. Dat was dus het werk van deze man. Wat ik heb gezien was nog maar de helft, de eerste jaren staan bij broer Tonny thuis.

'De tijd ging voorbij en ik werkte inmiddels overdag bij de bank, had een vrouw en twee kinderen, en zat in mijn vrije tijd aan de Alberti's. Willeke was niet zo van het verleden. Ze woonde bovendien in Duitsland, dus ik zag haar nooit.

Tot ik in 1987 een uitnodiging kreeg voor de presentatie van de elpee en cd *Willeke voor altijd* in de Kersentuin. Heel chic. De portier vroeg waar mijn auto stond, zodat ze die voor me konden parkeren. "Die staat al om de hoek," zei ik.

Ik werd voor het eerst door haar moeder voorgesteld aan Willeke: "Dit is Ronald van de plakboeken."

In 1992 werd mij door de TROS gevraagd of ik foto's kon leveren voor 'Een beetje mazzel', in 1994 mocht ik mee naar het songfestival in Dublin, en in 1996 vroeg Willeke of ik kon helpen bij het maken van de musical *Willeke*.

En toen kwam het concert in Carré, haar comeback. Het mooiste wat ze ooit gedaan heeft. Sören zat drie hoog in de loge. Het was slikken of stikken. De camera volgde iedere blik, iedere emotie van haar. Wat toen geregistreerd is...

Ik zat op de eerste rij met de teksten in mijn hand, was haar souffleur. Dat wil zeggen: ik mocht haar niet aankijken, want dat leidde haar af, maar als ik de teksten duidelijk articulerend meezong, dan kon ze mijn lippen lezen.' Hij lacht. 'Later heb ik ook nog wel eens op het podium achter een bank gelegen, om haar te souffleren. Het was een huiskamerdecor. Tonny lag dan aan de andere kant, ook achter een bank. Dat was in de tijd dat er nog geen autocue bestond. Maar het blijft iets wat ze het liefst gewoon uit haar hoofd leert, al die teksten.'

'Autocue? Ik kan me veel beter inleven in teksten als ik ze niet op hoef te lezen,' merkt Willeke op. Ze loopt het kantoor in met een prachtig mantelpak aan en een wasknijper in haar haar. Wasknijper ja. Er was even geen haarspeld voorhanden.

Ze is in afwachting van Paul Keizer, haar personal assistant, want vanavond staan *De Jantjes* in Hardenberg. Een heel eind dus nog en een lange avond voor de boeg.

'Autocue doet iedereen tegenwoordig,' zegt ze. 'Het is ook wel makkelijk, tijdens de try-outs. Maar daarna moet het gewoon zitten. En anders hoop je dat iemand je even een steekwoord geeft.'

Ze doet een paar stappen opzij, met een imaginaire microfoon voor haar mond, en legt haar oor te luisteren: 'Hè, wát? Wát zeg je?' En lachend is ze weer weg. Ik hoop dat ze die wasknijper vergeet. Het zou meteen mode worden. Een beetje chic en een beetje Jordaan.

Ronald vertelt verder over Carré: 'Die show in 1995 zou op oudjaar uitgezonden worden, in kleine stukjes, gemixt met beelden van vroeger. Vandaar dat ze mij vroegen, want ik weet wat er in het archief is. We zaten in de montagekamer en ik zei: "Jullie zijn gek als jullie hierin gaan snijden. Deze show moet je in zijn geheel op tv brengen."

Daar waren ze niet erg blij mee, maar hoe meer ze ernaar keken, hoe duidelijker het was dat er niets uit moest.

Bovendien moest volgens ons de show niet op oudejaarsavond worden uitgezonden, met op het andere net Youp van 't Hek, maar de avond ervoor.

We kregen na de uitzending een brief om ons te bedanken voor al die goeie raad, want we hadden net zo hoog gescoord als het koningshuis of een voetbalwedstrijd. Dat waren dus 7,2 miljoen kijkers en een waardering van 7.8!'

Het zijn de cijfers van een bijzonder goed rapport: ze geven ook na jaren nog steeds datzelfde gevoel van voldoening. Waardering voor wat ze samen hebben bereikt.

De knipsels en foto's in de archieven van Ronald werden ook zíjn verhaal: programma's waar hij zelf hard aan had meegewerkt. In plaats van eenzaam in een kamertje met een schaar en een plakboek, zit hij nu volop in het leven dat Willeke leidt.

'Na Carré, wat dus een geweldig succes was, gingen we op tournee. Overdag werkte ik van acht tot drie bij de bank en dan in de auto, mensen ophalen bij de Witte Bergen en met hen waar dan ook heen: het land in voor Willekes concerten. We waren nooit thuis voor twee uur 's nachts, en dan weer vroeg op dus. Ik heb een hele begripvolle lieve vrouw thuis, goddank. Ze heeft het mij gegund, want anders had ik nooit zo veel tijd in mijn hobby kunnen steken. Onze jongste zoon is ook een theaterfreak geworden, onze oudste is heel nuchter, voelt zich er nooit thuis.

Een leven als een lied

In 2008 veranderde alles. Veel callcenters van mijn bank gingen dicht, zeven-, achtduizend mensen op straat. Sindsdien is dit niet alleen een hobby, maar werk ik hier parttime op kantoor, voor Willeke. We doen alles in overleg, de keuzes van wat ze wil doen en wat niet. Het is ontzettend afwisselend werk, van Na Druppel tot Beatrix, tot de concerten.

Wat bij mij het meeste indruk heeft gemaakt was *De Kleine Waarheid* en de liedjes vanaf de jaren zeventig, met iets meer inhoud dan daarvoor. Het beleven van die teksten, zoals "Het zal nooit meer zo zijn". Dat vind ik het mooiste nummer.'

Over smaak valt niet te twisten, de een houdt van 'Fade to Black' van Metallica, de ander van 'De vlieger' van Hazes. Maar toch heb ik nu al van drie heel verschillende mensen gehoord dat ze 'Het zal nooit meer zo zijn' het mooiste liedje van Willeke vinden. Daar moet op gegoogeld worden.

'Het zal nooit meer zo zijn' werd in 1989 geschreven door Maarten Peters, voor het nationale songfestival. Maarten Peters, zelf geen onbekende, en ook componist voor vele artiesten, de muzikale partner van Margriet Eshuijs en sessiemuzikant van onder andere de Frank Boeijen Groep. Bovendien de man met wie ik de mooiste nummers schreef voor Rob de Nijs, zoals 'Vanaf vandaag' en 'Nu het om haar gaat'. Momenteel toert hij het land door met Margriet en hun programma Vuur. Hun wegen en die van Willeke kruisen elkaar nog regelmatig, maar de startlijn lag min of meer bij het liedje dat ik net noemde.

'"Het zal nooit meer zo zijn" is een liedje dat een geweldige omweg gemaakt heeft voor het helemaal op zijn plek viel bij Willeke.' Maarten herinnert het zich juist omdat het zo'n ongewone reis maakte. 'Ik schreef het in de tijd dat het songfestival nog met een echt orkest werd gehouden. Dat waren dus geweldige strijkers- en blazerspartijen, erg leuk om te componeren. Nadat het liedje op het nationale songfestival op de derde plaats eindigde met Ingrid Souren, werd het vervolgens in het Portugees vertaald en als "Deixar de sonhar" een grote hit in dat land. Toen keerde het met een bocht weer terug naar Nederland. Ik was toevallig bij mijn ouders op bezoek in Nijmegen, ik weet het nog goed. Mijn vader was een groot fan van Willeke. We waren sowieso opgegroeid met de muziek van haar vader en Johnny Jordaan, Tante Leen, noem maar op.

Mijn pa zat tv te kijken, naar *Op volle toeren,* en vroeg of ik even stil wilde zijn, want Willeke zou iets gaan zingen. Ja, en dat was dus "Het zal nooit meer zo zijn" in mijn oorspronkelijke tekst. Ik keek opzij naar mijn vader, en zag zo een traan over zijn wang biggelen. Hij was echt trots op mij, op zijn zoon, dat ik dat had geschreven en dat het nog wel door Willeke gezongen werd!

Willeke zingt acterend: ze brengt de tekst tot leven. Als je door je oogharen kijkt terwijl ze zingt, zie je het gebeuren. Er zijn maar weinig van zulke zangers in Nederland. Sommigen kunnen de mooiste woorden zingen, en er gebeurt niets met je. Anderen zingen het telefoonboek en brengen het nog tot leven. Willeke is zo iemand.'

Bijna tien jaar later zong Willeke het lied als duet met Margriet Eshuijs, in het tv-programma *Scoren tegen kanker.* Margriet, die haar grote doorbraak dankt aan 'House For Sale', zoals Willeke aan 'Spiegelbeeld', speelt en zingt al sinds de jaren zestig de theaters vol. Powervrouwen dus, die anno 2014 nog net zo hard aan de weg timmeren als toen.

Er is geen sprake van ophouden, want de liefde voor muziek zit bij hen allebei te diep. En hoewel heel veel 'vedettes' blijven teren op de liedjes waarmee ze ooit beroemd werden, is daar bij die twee geen sprake van. Liever niet omkijken, maar gewoon doorgaan, geldt voor beiden. En ook staan ze beiden liever voor een klein publiek dat ze recht in de ogen kunnen kijken, dan in grote stadions met massa's mensen. En de derde factor die hen verbindt: de man die 'Het zal nooit meer zo zijn' schreef.

HET ZAL NOOIT MEER ZO ZIJN

De taxi staat te wachten
Al mijn koffers zijn gepakt
Ik kijk nog een keer om me heen
Je kijkt me vragend aan
Is dit echt de laatste keer
Ik weet dat ik moet gaan
Maar ik voel de twijfels weer

Het zal nooit meer zo zijn
Nee nooit meer zo zijn
Mijn hoofd zegt: het is beter zo
Maar mijn hart klopt vol met pijn
Het zal nooit meer zo zijn
Nee nooit meer zo zijn
Hou me vast
Want het zal nooit meer zo zijn

De jaren die wij deelden
Worden foto's in een boek
We hebben alles geprobeerd
Vrijheid vol met haat
We kenden geen gevaar
D'r werd niet meer gepraat
We werden vreemden voor mekaar

Het zal nooit meer zo zijn
Ik voel me zo klein
Hou me vast
Want het zal nooit meer zo zijn
Hou me vast
Want het zal nooit meer zo zijn

Hou me vast
(tekst en muziek: Maarten Peters)

NIEUW GELUK

Het is feest in huize Willeke. Als je de slingers boven de voordeur mag geloven, is er een baby geboren. HOERA!

Als ik de deur zachtjes openduw, zie ik Willeke zitten naast een hoge kinderstoel, met een zee van speelgoed om zich heen. Ze gaat volkomen op in het voeren van stamppot aan een minimensje: Finn.

Haar kleinzoon heeft er gisteren een zusje bij gekregen, en Willeke is oppas-oma zodat er in huize Kaj en Hannah even rust is voor baby en moeder. Ze draait zich heel even naar me om, haar ogen stralen.

'O, het is zó mooi! Een meisje! Mila heet ze!'

Een paar minuten later, als Finn in zijn babykamertje slaapt, krijg ik de foto's te zien. Een prachtig kindje is het, met dolgelukkige ouders en opa's en oma's. De nieuwste van de Alberti-dynastie, weer een appeltje aan de boom. O, het herboren geluk van het oma-moederschap! *Sprookjes van Moeder de Gans*, pardon, *Woezel en Pip!*, kunnen zo alweer uit de kast worden gehaald, om te worden voorgelezen door de Perenboom zelf.

Willeke straalt. Daar ben ik blij om, want twee dagen geleden was haar licht even uitgewaaid door boos gedoe bij *De Jantjes*. Hondje Roos is verbannen wegens plassen op het podium. Theaterhond in hart en nieren, maar niet in blaas. Arme Roos had het nog nooit eerder gedaan, zo midden voor het voetlicht. Het gebeurde tijdens de repetitie uiteraard, want verder ligt het brave beest in de kleedkamer keurig te slapen tot de voorstelling is afgelopen. Maar nu moest ze nodig en ja, eerlijk is eerlijk, het decor van *De Jantjes* ís een straatje in de stad. Mét een lantaarnpaal. Daar had Roos een plas gedaan zo groot als het Lago Maggiore, als je de toneelknecht moet geloven. Daarna werd Willeke meegedeeld dat Roos niet langer welkom was bij de tournee. Mensen die zelf geen hond hebben begrijpen niet wat dit betekent.

Een hond is als een kind, en als iemand iets lelijks over je kind zegt, dan word je boos, ook al heeft-ie gelijk. Willeke had tranen in haar ogen van onmacht en verdriet, vooral toen ze het gevoel kreeg dat een paar medespelers het eens waren met de tijdelijke verbanning van Roos. Ik probeerde haar te troosten door haar te vertellen dat ik ooit met mijn hondje bij Paul de Leeuw te gast was, en dat dit hondje, pats-boem, per direct, zodra Paul naar haar keek, ging zitten sassen. Op het toneel, ja. Hoogpolig tapijt, als ik me goed herinner. Heel Nederland lag gevouwen. Waarmee ik maar wil zeggen: waar is de humor van het toneel gebleven, tegenwoordig? Zouden ze zichzelf misschien iets te serieus nemen allemaal?

Nu komt Willeke straks bij *De Jantjes* met beschuiten met muisjes aan, voor al haar collega's. Van mij mag ze Roos voor de limonade laten zorgen. Maar zo wraakzuchtig is ze niet. Bovendien veel te gelukkig. Voor de vierde keer oma, wat wil je nog meer?

DE HERFST VAN MIJN LEVEN

Ik sta op een berg
Te kijken naar beneden
Het dal van m'n verleden
Gevuld met zoveel pijn
Maar alles wat ik heb
Dat stemt me nu tevreden
Levend in het heden
Durf ik mezelf te zijn
Ik heb moeten leren
Dat je altijd mag proberen
Om het beste van jezelf te laten zien

De herfst van mijn leven
Vanbuiten weer wat jaartjes grijzer
Maar diep vanbinnen zoveel wijzer
Eindelijk de rust waar ik naar zocht

De herfst van mijn leven
Niet meer zo soepel als ik ooit was
Maar ik weet de waarheid nu pas
Ook al heb ik zoveel tijd verknoeid

Ik sta nu eindelijk in bloei

Duizend jaren terug
Had ik nog zoveel dromen
Ik wist dat het ging komen
Maar wat, dat wist ik niet
Ik was jong en naïef
Ik wilde alsmaar hoger
Alleen nog maar naar boven
Ver weg van mijn verdriet
Ik heb moeten leren
Om mezelf te accepteren
En te houden van de dingen om me heen

(tekst en muziek: Marnix Pauwels)

De herfst heeft inmiddels de straat bijna kaal gewaaid. Er komt
een winter aan, en daarna een nieuw jaar. Het word het zeventigste levensjaar van Willeke. Haar zeventigste lente. Voor me op
de keukentafel ligt een foto van een meisje van zeven, dat geduldig
in de lens staart, haar broertje bij de hand houdend. Blijf staan,
Tonny. Wacht tot papa de foto heeft gemaakt. Ja, maar we zouden
toch naar tante Mijntje? Want op zondag viste tante Mijntje een
portemonnee uit haar boezem, waaruit ze een koperen cent
tevoorschijn toverde voor Willeke en Tonny.

Het kind Willeke blijft staan, tot vader Willy de foto heeft
gemaakt. Serieus, en met een geduld dat zij nu, tweeënzestig jaar
later, nog altijd heeft. Gisterenavond was dat geduld flink op de
proef gesteld. We stonden bijna drie uur in de file, op weg naar
het theater. Net toen ik dacht dat we het stapvoets rijden met
van twee kanten ingehaald worden door dezelfde vrachtwagens
echt helemaal zat waren, begon ze te zingen: 'Ik sta altijd weer
in de verkeerde rij, er zijn altijd veertig wachtenden voor mij. Ik
hang uren aan de kassa, in een grote mensenmassa, op het post-
kantoor en bij de stomerij, sta ik altijd weer in de verkeerde rij...'

Een meisje van zeven, dat geduldig in de lens staart, haar broertje bij de hand houdend. Blijf staan, Tonny

Niet kapot te krijgen dus. We kwamen na afloop zo laat thuis en er woeien inmiddels zo veel takken van de bomen, dat ik hier maar ben blijven slapen, in dit gastvrije huis. Ik heb geluisterd naar de schorre nachtuilen, het huilen van de wind om de zomer die voorbij is, en de korte driftbuien van regendruppels op het dakraam van de logeerkamer.

We hebben een fotosessie op het programma staan. Voor de cover van dit boek. Bobby de visagist en Roy de fotograaf zijn waarschijnlijk al onderweg. Na de shoot moet Willeke praten met een filmploeg die een quote van haar wil voor het programma *College Tour* waar Johnny de Mol te gast in zal zijn. Daarna begint haar werkdag pas echt, als ze naar Oss moet voor *De Jantjes*.

Het is een agenda waar iemand van twintig al zuurstofgebrek van zou krijgen, maar Willeke heeft een lange adem. Normaal gesproken. Normaal gesproken staan artiesten ook niet op voor 11 uur 's morgens, waarna ze met een wollen muts en drie sjaals om een latte, een krantje en een onsje rosbief gaan kopen, om daarmee weer thuis te gaan relaxen tot ze 's middags naar Stadskanaal gaan om op te treden.

Als ik om acht uur aan de muesli zit, komt ook zij prompt de keuken in gesloft, gehuld in ochtendjas. Maar daarboven zitten een glimmende rode neus en kleine berenoogjes. Ze is hartstikke verkouden.

'Ik heb de tuinman al afgezegd,' meldt ze. Dat is fijn voor die man, kan hij lekker uitrusten. Was-ie ook verkouden? Nee, maar dat scheelt wel weer in het aantal mensen dat er komt vandaag, en natuurlijk een kopje koffie moet. De tuinman moet een andere keer dan maar de afgewaaide takken weghalen. Maar wat scheelt dat op de agenda? Niet zo heel veel, vrees ik.

Misschien moeten Bobby en Roy ook worden afgezegd, en die foto's wachten tot ze beter is. En die filmploeg voor die talkshow waar Johnny in zit?

Ik zie haar sippe neus en realiseer me dat ik tegenover hetzelfde meisje zit dat op haar zevende al met een microfoon voor haar muizensnoet stond en haar vaders liedjes meezong, in de hoop dat iemand haar stem zou horen en haar zou ontdekken. Dat is niet het soort dat snel iets afzegt. Het is nog niet eens bij haar opgekomen om *De Jantjes* af te bellen, ook al zit ze vol snot en kan ze Na Druppel alleen maar doen omdat ze schor mág zijn, als die jeneverhijsende ouwe sopraan. Maar ze gaat die enorme groep acteurs en actrices, crew van collega's en natuurlijk het publiek niet teleurstellen. *The show must go on.* Ze zet een kop thee en schuift snuffend en kuchend aan de keukentafel.

'Vanmorgen was ik weer heel vroeg wakker. Dacht na over het

leven, dat er geen toeval bestaat. Kijk maar naar wat er constant gebeurt, elke dag weer. Hoe is het mogelijk dat alles weer past: mensen die je tegenkomt, mensen die je loslaat? Dat blijft altijd. Je krijgt altijd weer nieuwe familie. En ik ben al zo blij met het leven dat ik gehad heb. Echt, als ik een ongeneeslijke ziekte heb, dan denk ik niet dat ik daar iets aan zou laten doen. Ik ben al zo dankbaar. Ik ben al zo veel ouder dan mijn vader geworden is.'

Ze niest.

'Het komt al los. Alles heeft ook wel een beetje met leeftijd te maken. Als je jong bent, dan ben je toch veel flexibeler in je ontmoetingen, je verliefd worden. Je bent nog niet aangetast, zeg maar, door lelijkheid. Je raakt je vertrouwen in de mens kwijt door de dingen die je meemaakt. Ik heb een tijd niet naar mijn intuïtie geleefd, het niet gezegd als ik iets hoorde of voelde. Dat doe ik nu wel.'

Ze ziet de krant liggen met een foto van een bekende politicus op de voorpagina. 'Kijk, die lijkt ook al op die man...' Op den duur gaat iedereen op een compositietekening van de politie lijken, stellen we vast. De afperser zien we overal: op straat, in de rij bij de supermarkt, in het publiek... Soms denk je dat er alleen nog maar meer gekken bij komen. Een beangstigende gedachte. We staren naar de krantenkoppen en nemen nog maar een kop thee.

Hoe zit dat, met koppen in de bladen?

'Vroeger had ik natuurlijk wel problemen met de pers, maar de laatste tijd hebben we respect voor elkaar. Ik begrijp hen, en zij begrijpen mij. Als ik zeg: ik wil dit of dat er nog even niet in, over Johnny of zo, dan respecteren ze dat. Ik denk dat we dat alle twee verdiend hebben: de pers en ik ook.

Het zijn nu allemaal zelf BN'ers geworden: Edwin Smulders, Henk van der Meijden, en ze hebben ook geleerd: als je zelf in een glazen huisje woont, moet je niet met stenen gooien. Als je oprecht bent tegen de pers, tegen Albert, tegen wie dan ook, dan maak je veel meer kans dan wanneer je dingen verdoezelt.

Met Henk van der Meijden, met wie ik in het verleden op dat gebied vaak te maken heb gehad, heb ik nooit problemen gehad. Als je eerlijk was tegen hem, dan kon je op hem bouwen.

Vroeger reageerde ik altijd onmiddellijk als er iets stond wat niet klopte. Je had de *Romance*, en allerlei muziekblaadjes: de *Tuney Tunes*. En *De Lach* en natuurlijk de *Libelle, Panorama, Margriet*. Het eerste roddelblad? *Privé? Story?* Ze hebben heel veel goed gedaan voor de showbusiness. En heel veel slecht. Je kon als er zo'n fout verhaal in stond alleen maar zeggen: nou ja, volgende week ben ik aan de beurt. Dan vertel ik mijn kant van het verhaal.'

Was dat genoeg? We schakelen over van de thee naar de koffie. 'Destijds met de scheiding van Sören maakte Evert Santegoeds, toen nog voor de *Story*, me echt té zwart. Het was zo verschrikkelijk, zo gemeen. En niet waar, want ik wist het niet: ik wist toen echt niet dat Sören met een ander was. En over mijn leeftijd: "wat moet ze nou nog", ik ben zó gepakt. Het was het ene artikel na het andere. Uiteindelijk ben ik naar de rechter gestapt en heb schadevergoeding en een verbod op publicaties in de toekomst geëist. Daarin heb ik van de rechter grotendeels gelijk gekregen: wel een schadevergoeding, niet het algehele verbod op publicaties in de toekomst. Het haalt de pijn alleen niet weg. Je bent zo diep geraakt, zo kwetsbaar.

Later vertelde Santegoeds mij dat zijn moeder hem had gezegd: dat heb je niet goed gedaan. Hij bood zijn excuses aan. Dat was ook wel nodig, want hij had echt de doodstraf bij mij. En nu is het goed, we komen elkaar tegen, kijken elkaar aan. Prima.'

We zitten allebei even zwijgend aan onze koffie te nippen. Marijke is inmiddels binnengekomen, en de vraag of zij nog meer zal moeten afzeggen vandaag vanwege Willekes verkoudheid, hangt nog in de lucht.

'Het duurde lang voordat de verstandhouding met Sören beter werd, maar ik was dan ook het langst met hem getrouwd geweest: ruim twaalfenhalf jaar. We waren alles bij elkaar vijftien jaar vriendjes en het was goed geweest, dat zei hij ook altijd. Je merkt toch dat je door het verstrijken van de tijd anders tegenover elkaar komt te staan. Ik blijf me altijd verbonden voelen met al mijn exen. Ik vind het belangrijk dat het goed met ze gaat, ik blijf hun vriendje. Dat komt natuurlijk ook door wat er van ons over is: onze kinderen. Dat is de oogst van ons leven samen. En het mooiste wat je overhoudt, aan het einde van de dag.'

Na deze wijze woorden niest ze nog eens, en denken we na over een tweede kop koffie, of paracetamol, of de mate waarin je neus groter wordt tijdens een verkoudheid. Het wordt een zware dag, lijkt het.

En dan opeens is ze op de radio, op de achtergrond. Uit een ver en vaag verleden klinkt een vrolijk lied dat zij ooit zong, een jong, onbezorgd meisje met een sappig kozakkenkoor.

ZAL IK GAAN DANSEN,

't is feest in het dorp,
mensen van heinde en ver!
Lailalai lailala!

'Hé, da's een lied van Hans van Hemert!' We rennen als blije kippetjes naar de speaker van de radio die aan het plafond van de keuken hangt, Willeke zoekt de afstandsbediening, ik pak mijn mobieltje om 't op te nemen, we staan allebei even panisch op knoppen te drukken en het volgende moment in onze dikke badstoffen ochtendjassen op en neer te springen en te dansen.

ZAL IK GAAN DANSEN?

Kom ga mee dansen,
't is feest in het dorp
Weer trouwt er iemand,
weer zijn de mensen blij,
dansen de hele nacht
Laat ze maar zingen,
al is het niet voor mij,
wie had dat ooit verwacht?

(tekst en muziek: Hans van Hemert)

Een uur later. Langzaam rolt de elektrische deken van het zwembad. Het water ligt er kraakhelder en warmpjes bij. Het schittert onder het licht van de talloze spotjes aan het plafond. Willekes zwembad is het toonbeeld van dat wat ze bereikt heeft: van de Amstel voor je deur naar een eigen inpandige gracht, of van het openbare De Mirandabad naar een privémeertje. 'Ik las ergens dat je zo ontzettend trots was omdat je de bouw hiervan helemaal van je eigen verdiende geld kon betalen,' zeg ik.

'Dat ben ik nog steeds, iedere dag als ik hier binnenkom.'

Ze klinkt vol snot, maar nog net zo blij en ontroerd als op die eerste dag, toen ze met champagne en limonade, tantes en kleinkinderen haar luxecadeau aan zichzelf en haar familie gaf.

Het zwembad heeft inmiddels voor heel wat zalige uurtjes van ontspanning gezorgd. Er hangen foto's aan de muur van haar kinderen en kleinkinderen en ouders, die allemaal glimlachend op me neerkijken als ik even later een baantje trek. Willeke ligt er zelf volgens mij nog het minste in, de laatste tijd. Te druk. En vandaag te verkouden.

De visagist is haar al aan het opmaken, als ik uit het zwembad kom. We kijken samen in de spiegel, van de Willeke met rollers op haar hoofd en haar gezicht in de grondverf, tot de Willeke Alberti die iedereen kent.

'Vind je het fijn om opgemaakt te worden, dat gefrummel aan je?'

'Nee,' antwoordt ze heel beslist. Maar Bobby verstaat zijn vak als geen ander, en even later staat ze beeldschoon en volkomen naturel onder het licht van Roy Beusker, de fotograaf die zij vertrouwt en die nog nooit een lelijke foto van haar heeft gemaakt.

En dan maakt ze zelf de transformatie compleet, want van een verkouden en vermoeid mens verandert ze in de stralende ster van wie iedereen houdt. Dwars door de bacillen en de snot heen, en ook dwars door de make-up en de mooie blouse die Marijke vanmorgen voor haar heeft gekocht, klinkt de vrolijke lach van het kind dat haar plek in het licht heeft gevonden. Waar ze het vandaan haalt weet ik niet, maar ergens uit het verre verleden waarin zij met haar broertje stilstond voor haar vaders camera, komt de verwondering, de blijdschap, alles wat ze voelde toen ze een onbezorgd meisje was. Ze beschikt over die gelukkige momenten alsof ze in een doos zitten, die zij open kan doen wanneer ze maar wil.

De filmploeg van *College Tour* kan moeiteloos door, daarna. Make-up en kleding, alles zit op zijn plaats en het kost haar geen moeite meer, ze is nu op stoom. Maar als dan onverwacht een telefoontje komt, dat de voorstelling van *De Jantjes* vanavond wordt afgelast wegens ziekte van een van de mannelijke hoofdrolspelers, is dat tóch een zegen. Voor de tweede keer die dag staan we te springen en te juichen. Hoera! Wat heerlijk om vrij te zijn zonder dat het jouw schuld is! Er zit er eentje boven in de hemel die haar gebeden heeft verhoord! Willeke kijkt me verbaasd aan.
'En weet je wat nu zo gek is? Ik voel me helemaal niet ziek meer!'

OUDE RECEPTEN IN NIEUWE PANNETJES

Von heeft kippensoep gemaakt. Het is buiten guur, dus binnen smaakt alles nog beter dan in de zomer. We hebben het over soep en de sfeer van vroeger. Over oude recepten in nieuwe pannetjes. Von is het nichtje van Willeke, zelf opgegroeid in een heel groot gezin waarvan de moeder 's morgens vroeg al naar haar werk was, waardoor de kinderen soms zonder ontbijt naar school moesten. Von kwam graag bij haar tante Ria over de vloer, want de Alberti's waren hartelijk en de moeder van Willeke was aardig voor haar. Bovendien kreeg ze er 's morgens een bordje Brinta en een boterham met roomboter en hagelslag.

'Weet je nog dat ik vertelde over de baby die in de kinderwagen lag, waarmee ik naar de Hema reed om een trouwring te kopen? Die baby was Von,' zegt Willeke.

Ik kijk ineens met heel andere ogen naar de vrouw achter de kippensoep. Haar moeder, tante Corrie, was de lievelingszus van Willy Alberti. Lijkt ook op hem, heeft dezelfde recht-voor-z'n-raap-humor. Weet alles van voetballen, alles van politiek.

Ik denk aan moeder Ria, die alles brandschoon hield zodat haar man en haar dochter konden stralen. Achter een succesvolle man of vrouw staat altijd iemand met een bezem.

'Ze kon flink mopperen, maar was tegen mij altijd aardig,' vertelt Von. 'Vijf jaar ouder dan mijn oom Willy, die zeventien was toen zij zwanger werd.'

'Ik heb haar bedankt dat ze mij heeft laten komen,' zegt Willeke, 'ze had me ook weg kunnen laten halen. Van mijn hele familie was ik de eerste die een kind kreeg terwijl ik al netjes getrouwd was. De anderen waren allemaal moetjes.'

Ria wijdde haar hele leven aan het schoonhouden van het huis, het poetsen van het leven van haar man, het wegvegen van de kruimels en klodders die kleven aan het artiestenbestaan. Er zat geen vlieg op haar Willy of Ria sloeg hem dood. En toen Willeke de kans kreeg om een zangcarrière te beginnen was het moeder Ria, die dat aanmoedigde en niet vader Willy.

'Mijn vader vond het helemaal niets dat ik het vak in ging, maar mijn moeder stond niet alleen achter me, ze zorgde ook dat ik altijd keurig gekleed was, dat ik niet te dik werd, dat mijn haar goed zat. Alles. Ik kon haar alles zeggen. Ze was heel open. Alleen een complimentje geven, dat was er niet bij.'

'Maar daar waren geen woorden voor nodig. Dat hoefde niet. Het waren heel warme mensen en je voelde toch wel dat ze van je hielden,' vult Von aan.

Toen ging Willy dood, achtenvijftig jaar jong, en Ria viel in een diep zwart gat.

'Ze raakte in een soort shock,' zegt Willeke.

'Als iemand zei dat Willy dood was, dan ontkende ze dat,' beaamt Von. 'Wat haar betrof bleef hij leven, en alles in haar huis bleef op dezelfde plek staan, niets veranderde. Toen ze verhuisde, hebben we haar geholpen. Ieder papiertje, alles waar iets op stond van Willy, niets mocht weg. Zesentwintig jaar leefde ze zonder haar man verder. Ze had een museum voor hem willen maken. Ze adoreerde hem.'

'Maar niemand mocht zijn liedjes zingen,' zegt Willeke. 'Zelfs ik niet. Ze vond dat ik veel beter kon acteren dan zingen. Dat vertelde ze me op haar sterfbed: ze had alle rollen die ik gedaan had in alle toneelstukken en tv-series onthouden. Maar zingen mocht ik niet van haar op haar begrafenis. Dat had ze op een heel klein papiertje geschreven. Dus bij haar graf heb ik gezegd: "Mam, maak je geen zorgen, ik zal niet zingen. Maar jij vond het lied 'En dan schilder ik mijn hele hemel blauw', het mooiste. Dus die tekst lees ik voor."'

EN DAN SCHILDER IK MIJN HELE HEMEL BLAUW

Morgen ga ik een sluier passen
Later wordt dat luiers wassen
Stof afnemen, piepers jassen
Elke lange dag
Dan moet ik nog koffie malen
Brood en margarine halen
Stiekem langs de winkels dwalen
Waar de bruidsjurk lag

Ga naar huis Marleen
En verf je hemel blauw
Want daaronder, ja daaronder
Ligt voor jou het grote wonder
En die bruidsjapon was veel te chic voor jou

Morgen mag je ademhalen
Slager, bakker, huur betalen
Nooit naar luxedingen talen
Zuinigheid met vlijt
Morgen mag je even dromen
Dat des konings pages komen
En het goud groeit aan de bomen
Van de kindertijd

Daarom schilder ik mijn hele hemel blauw
En daaronder, ja daaronder zal ik leven met het wonder
Dat ik aan jou mijn man, eeuwig toevertrouw

(tekst en muziek: Willy van Hemert, Harry de Groot)

Zonder moeder Ria had het nooit allemaal gekund. Ze was de drijvende kracht achter het succes

'Ik merk nu pas wat écht is, net als mijn moeder. Omdat ik zo'n manisch positief mens ben, vlieg je daaroverheen. Je liefde voor je kinderen is onvoorwaardelijk.

Haar einde was voor mij en Tonny zo mooi. Ze had die laatste drie weken onze vader losgelaten. De foto van hem die we naast haar bed hadden gezet – ze had bloedvergiftiging en lag in het ziekenhuis – moesten we weghalen. Die foto moest weg.

Ik heb haar niet voor niets in het zonnetje gezet, in Carré. Ze stond op en nam het applaus in ontvangst. Je zag haar stralen: alles wat ze had moeten ontberen omdat ze zich opgeofferd had voor mijn vader, kreeg ze nu. Ook op haar sterfbed. Ze had zo veel in zich gehouden, nooit gezegd.

In die laatste drie weken ging ze praten, wat ze nooit gedaan had. Tegen mijn broer, mijn schoonzusje, tegen Wil de Meyer, haar vriendin, en mij. Met Johnny had ze nooit zo veel contact, maar hij is elke avond – terwijl hij overdag werkte – naast haar in bed gaan liggen. Praten, knuffelen.

"Ik heb vijf scheidingen meegemaakt," zei ze. Drie daarvan waren dus de mijne. Iedere keer moest ik weer opnieuw beginnen.

"Kom lekker bij ons wonen," zei mijn vader dan. Maar dat doe je niet als kind. Dat zijn die dingen die ik nu zo herken. Maar ik moet mijn kinderen loslaten. En dat is moeilijk. Vooral als ze ergens heen vliegen en niet meteen laten weten dat ze goed zijn aangekomen. Bij Johnny is dat bijna niet bij te houden... Die vliegt constant overal naartoe.

Ze zijn nu volwassen, maar het blijven kinderen voor mij. Als ik skype met Daniëlle, die nu in Melbourne woont met tien uur tijdsverschil, dan is het heel fijn om te voelen dat ze me af en toe toch nog nodig hebben. Het is goed om je te realiseren dat ze oud en volwassen genoeg zijn om ze iets van jóúw gevoelens te vertellen. Niet alleen de goeie momenten delen, maar ook de eenzame momenten. Ze zijn er nu echt groot genoeg voor. Ik zeg nu veel vaker dat ik van ze hou. Mijn moeder maakte dat altijd duidelijk op haar eigen speciale manier. Ze heeft ons bij alle verhuizingen geholpen. In Duitsland kwam ze ook, en liet mijn vader daarbij thuis. Je wil niet weten hoe het er daar uitzag, toen ze terugkwam. Chaos. Hij kon echt niet zonder haar.

Mijn moeder kon toen ze op haar sterfbed lag nog wel meepraten, maar het was op het laatst meer een soort brommen. Articuleren kon ze niet meer.

Ik had haar ooit een grote pot Bergman-nachtcrème gegeven. Ik vergat het op een nacht mee terug te nemen naar het ziekenhuis, dus ik deed haar zo lang een andere crème op – en ze zei: "Bergman!" Ze hield alles nog helemaal in de gaten. Dus ik heb die crème gauw alsnog gehaald. Ze was toen al aan het weggaan. Het was koud en de hemel was staalblauw toen ze stierf. Ik heb de kracht die zij ook had om het alleen te doen. Alleen durf ik nu te zeggen dat ik het niet alleen kán.

Haar as heeft hier een tijd op de vensterbank gestaan, maar dat voelde niet goed. Ze was altijd onrustig als ze hier bij mij op bezoek was. Kon nooit stilzitten, had altijd haast. Dus nu staat haar urn onder die grote boom in mijn tuin, en daar is het rust en vrede. Mijn slaapkamerraam kijkt erop uit. "Goeiemorgen mam," zeg ik iedere ochtend.'

Inmiddels is het donker buiten, en steekt Von de kaarsen aan.

Warme vlammetjes werpen hun licht op Willeke.

'Ik keek vandaag naar de foto's die we gemaakt hebben voor de cover van dit boek, en het viel me ineens op hoeveel ik fysiek op mijn moeder lijk. En ook qua karakter, omdat ik ook zo'n pietje-precies ben. Maar wat dat zingen van mijn vaders liedjes aangaat, dat niemand daaraan mag komen... Nee, daarin lijk ik helemaal niet op haar.'

Het is een leven als een lied, maar dat leven gaat voorbij en wat dan? Nieuwe generaties geven het lied door, zodat het niet achterblijft in het verleden.

WILLY VERBRUGGE

In het tv-programma *De zomer voorbij* ging Willeke naar Kroatië, om met Jan Smit en de 3Js een medley van oude liedjes uit de Jordaan te zingen. Het was vlak na de eerste tournee met *De Jantjes,* en Willeke nam haar Na Druppel-kostuum mee. Jan Smit, Kees Tol, Jan Dulles, Jaap Kwakman en Jan de Witte droegen de matrozenpakjes uit de musical.

Willeke kookte pannen vol eten voor de jongens en de band, en samen zongen en dansten ze rond de tafel onder de sterrenhemel. De Jordaan lag die avond niet bij de Elandsgracht, maar bij Porec in Kroatië.

'Wat me opviel was dat die jongens die liedjes niet alleen zo goed zingen, maar er ook echt plezier in hadden. Ik ben vanbinnen niet ouder geworden, voel me nog altijd de jongste omdat ik dat jarenlang was, maar natuurlijk ben ik intussen best een oude vrouw. Bijna zeventig. Dus dat die jongens me zo in hun kring opnemen, me echt binnenlaten in hun leven, dat is geweldig.'

Datzelfde gebeurde met Ali B en Kleine Viezerik, toen ze met hun *Ali B op volle toeren* bij Willeke aanklopten. Het programma zet niet alleen de mensen die iedereen vroeger kende, zoals Ronnie Tober en Anneke Grönloh, opnieuw in het spotlight, maar het doet ook iets tegen de vooroordelen die er zijn tegen Marokkanen. 'Het zijn zúlke fantastische jongens. Je voelt je onmiddellijk lekker bij ze.

Die Ali B weet exact wat hij doet. Hij is heel openhartig over alles wat hij heeft gedaan. Dat kan een heel groot voorbeeld zijn voor alle jongeren van zijn generatie. Hij houdt gewoon van mensen. Ik heb midden in zo'n optreden gestaan, het is echt rock-'n-roll. Ik had nog nooit een stickie gerookt, en toen ik naar buiten kwam was ik zo stoned als een garnaal. Maar die mensen waren zo lief voor me, ik voelde me zo op mijn gemak.

"Meisje luister" heb ik gezongen met ze. Had ik zelf geschreven voor mijn kleindochter Estelle. Die tekst is heel simpel, niks bijzonders, maar 't kwam recht uit mijn hart.'

Willeke kookte pannen vol eten voor de 3Js en samen zongen en dansten ze rond de tafel onder de sterrenhemel

MEISJE LUISTER

Meisje luister, ook al voel je je alleen
Ik weet het zeker: jij komt er wel doorheen
Maar meisje luister, ook al heb je nu verdriet
Ik kan het weten: het leven is een lied

Ik begrijp je lieve schat,

Bij alles wat je doet
Als je maar vertrouwen hebt
Komt het allemaal wel goed
Grijp nu maar je kans, ook al is het zwaar
Wie vecht voor zijn geluk
Krijgt 't voor elkaar

Meisje luister, ook al voel je je alleen
Ik weet het zeker: jij komt er wel doorheen
Maar meisje luister, ook al heb je nu verdriet
Ik weet het zeker: het hele leven is een lied

Je bent mijn spiegelbeeld en eens word je de bruid
Luister naar je hart en je dromen komen uit...

(tekst: Willeke Alberti)

Voor al haar kinderen en kleinkinderen heeft Willeke wel een lied gezongen. Vaak uit vertedering, maar even vaak omdat ze zich zorgen maakte en troost wilde bieden. 'Soms hebben we het moeilijk. Maar ja, wie heeft het nou níét moeilijk?'
Jeroen Krabbé, met wiens gezin het hare als één familie is samengesmolten en wiens eerste kleinkind gelijk met het hare ter wereld kwam, zegt: 'Wat ik heel bijzonder vind, is dat ze nooit een kwaad woord over iemand anders zal zeggen. Ze vindt iedereen aardig. Ik kan wel kwaad op haar worden omdat ik vind dat ze zich gemakkelijk uit moeilijke gesprekken losmaakt. Ze gaat de confrontatie niet aan. Alles wordt met de mantel der liefde bedekt. En haar eerste natuur is om mensen te pleasen. Dat doet ze door op het toneel te gaan staan en te zingen, en in het gewone leven door aardig te zijn.'
Willeke kijkt mij peinzend aan. 'Is dat zo? Doe ik dat?
Je liefste vriend is vaak je strengste criticus.'
Maar er is wel wat veranderd sinds zij met hem in *Twee op de wip* stond. Hun vriendschap is inmiddels vier decennia ouder. Gepokt en gemazeld. Ze kreeg lang van hem te horen dat ze niet zo

'Willeke' moest zijn, als ze naast hem in het openbaar verscheen, en ze zegt nu: 'Jeroen viert ieder jaar zijn verjaardag met een lunch op 7 december in het Vondelpark, en dat doet-ie al jaren. Het is verschrikkelijk voor mij als ik dan niet kan komen. Hij wordt nu zeventig en al zit ik 's avonds in *De Jantjes*, ik ga 's middags wel naar hem toe. Ik kan alleen dit jaar niet zingen. Dat heb ik al vijftig keer gedaan, op iedere verjaardag. Dit jaar kom ik als mezelf: Willy Verbrugge, een echte vriendin, en niet als Willeke Alberti. Ik ga hem gewoon vertellen hoeveel ik van hem hou.'

Sinds Wayne Dyer is er wel een stuk assertiviteit in haar boven komen drijven, als krenten in de pap. Mensen die aan haar gast-vrije deur komen om mooie praatjes te verkopen, worden niet meer binnengelaten. Maar terugblikkend over de tuin waarin moeders as staat, naar bospaden vol sporen die door oude vrienden werden achtergelaten, ziet zij toch niets dan liefde. Over alle levenden ook al niets dan goeds.
Het goede, dat gemist wordt. De liefde van vrienden die niet alleen met haar samen zongen en werkten, maar soms ook haar teksten schreven, zoals Carmen Sars.

IK BEN ZO TOE AAN SAMEN

Ik ben zo toe aan samen
Ik ben zo moe, ik ben zo toe, aan een en een is een
Ik ben zo toe aan angstloos delen
Geheime wensen, nieuwe mensen
Messcherp en helder zien wie je echt bent

En als je met me vrijt, bezit me
En als je naar me kijkt, aanbid me
En als je het niet wilt, verbied me
En als je me verliest, dan vang me
Geef me al je tranen en je boosheid erbij
En als je dan soms bang bent, voel je veilig dicht bij mij

Carmen en Barbara stonden twintig jaar naast Willeke als backing
vocals, tekstschrijvers en bovenal vriendinnen

Ik ben zo toe aan samen
Rechtop te staan, niet om te waaien, bij ieder zuchtje wind
Ik ben toe aan die ene waarheid
Die me omarmt, die me verleidt
En onbeschaamd laat zien wie we echt zijn

En als je met me vrijt, bezit me
En als je naar me kijkt, aanbid me
En als je het niet wilt, verbied me
En als je me verliest, dan vang me

Geef me al je tranen, en je boosheid erbij
En als je dan soms bang bent, voel je veilig dicht bij mij
Ik wil me branden aan je vuur, steeds als je me kust
Dus laat me toe, ja laat me toe
Of laat me met rust

(tekst en muziek: Carmen Sars)

'Carmen Sars en Barbara Lok zijn twintig jaar bij me geweest als collega's, backing vocals, tekstschrijvers en bovenal vriendinnen. Het zijn vrouwen die alles tegen me kunnen zeggen, zonder dat ik boos word.

Barbara heeft auditie gedaan toen ik begon met mijn tournee in 1996, en Carmen kende ik al voor het songfestival, in 1994. Ze hebben heel veel kansen opgegeven om bij me te zijn. Inmiddels is Carmen voor zichzelf begonnen met haar eigen repertoire en "Barbara zingt Streisand", geweldig, ik zit daar als een soort trotse moeder naar te kijken.

Xander Buvelot, Peter Krako, Marcel Fisser, Sietze Huisman en Peter van der Zwaag, ik ben alleen maar zo blij hoe ver ze gekomen zijn sinds ze van het conservatorium kwamen en auditie deden bij Edwin Schimscheimer.

Je moet op je band, zonder om te kijken, blind kunnen vertrouwen. Avond aan avond, jaar in jaar uit. Ze zijn mijn familie geworden, net zo goed als al die anderen. Je bent zo betrokken bij die levens. Wie heeft er zo veel mensen om wie je geeft? Ik vond het moeilijk om ze, toen ik aan *De Jantjes* begon, te vertellen dat ik ze een paar seizoenen niet nodig had. Zo'n beslissing maak je niet even. Gelukkig zullen de meesten weer achter me staan als ik straks in Carré mijn verjaardag vier. Mijn familie op het podium, spelend voor mijn familie in de zaal: een soort spiegelbeeld van dierbare mensen.'

Willeke zucht vol verwachting. Het klinkt als het ruisen van het grote rode gordijn dat opengaat in Carré.

IN BALANS

Het is één grote familie. Sinds ik hier voor het eerst kwam, en handen zonder gezichten en foto's zonder namen zag, weet ik inmiddels ongeveer wie wie is.

Het onderhouden van al die vriendschappen en werkrelaties is niet niks. Bovendien wissel je niet alleen dagelijks de diverse ontwikkelingen uit, maar vooral rond de herfst nogal wat virusjes.

Zo mag het er dan even op geleken hebben dat de bacteriën verslagen waren, dat was toch slechts een tijdelijke overwinning op de griep, dankzij een euforisch gevoel van vrijheid.

De volgende week is Willeke opnieuw dichtgeslibd, en daarbij heeft ook nog eens ome Tonny, die als een vader voor haar was en met tante Beppie altijd op haar kinderen paste en hielp verhuizen naar het huis waar ze nu woont, een TIA gehad. Een vreemde tijd is het: aan de ene kant de komst van het nieuwe kleinkind, aan de andere kant de schaduw van de dood. Zo loop je met beschuiten met roze muisjes naar een kraambed, en zo moet je straks nog met een zwarte hoed op naar een kerkhof.

Het komen en gaan van familie en vrienden wordt deze herfst in heel veel kleuren duidelijk. Het weerhoudt Willeke er niet van om te genieten van het moment zelf. Als ze Finn naar huis brengt, tijdens deze Indian summer, doet ze dat lopend met de kinderwagen, door de lanen waar de bladeren om hen heen dwarrelen als gouden sneeuw. Ze heeft haar wollen pet op, en ze wordt volgens eigen zeggen aangezien voor ofwel Bonnie St. Claire, ofwel Willeke Aberti. Maar beiden is zij even niet. Ze is 'omi' die haar kleinzoon naar huis wandelt, en al is het tien kilometer, ze geniet van iedere stap. 'Het leven is een feestje, maar je moet wel zelf de slingers ophangen,' heeft Willeke eens gezegd.

'Welke kleur heeft je moeder?' vroeg ik aan alle drie haar kinderen.

'Blauw,' zegt Daniëlle.

'Rood,' zegt Kaj.

'Roze,' zegt Johnny. 'Maar misschien heeft dat ook wel iets te maken met haar liefde voor homo's, die volkomen wederzijds is. Heb ik bij de Gay Pride meegemaakt, toen we op zo'n boot door de

Het is één grote familie

grachten voeren. Dat was overweldigend.'
'Maar los daarvan ook nog steeds roze?'
'Ja.'
Dus daar heb je het: drie verschillende kleuren voor dezelfde
moeder.
'Alles is perfect zoals het is, omdat 't zo is,' zegt Daniëlle.
'Ik kan me geen lievere moeder voorstellen. Als je haar op het
podium hebt zien staan, die uitwisseling van energie en warmte
met het publiek hebt meegemaakt, dan heb je haar ontmoet. Ze is
daar dichter bij zichzelf dan thuis op de bank.'
Maar Kaj, de jongste van de drie, vindt zijn moeder juist thuis
terug, en als je vraagt met wat voor dier hij zijn moeder associeert,
dan ziet hij haar als een hond, een labrador. 'Omdat ze zo trouw is,
en zo lief.'
En Johnny, wat voor goede raad zou hij haar willen geven?
'Dat zou wat moois zijn, als ík haar raad moest geven! Zij, die zo
veel dingen heeft gedaan waar ik nog wat van kan leren. Nee hoor.
Een wens heb ik wél voor haar: dat zij de energie houdt die ze nu
heeft. Dat is mijn wens.'

Het is ochtend in de winter van haar leven. Buiten zijn de bomen nu echt kaal geranseld, en er liggen grote plassen koud zwart regenwater op het terras. In het grote raam bij haar zwembad worden de blauwe golfjes en de lampen aan het plafond weerspiegeld. De wereld in het glas is warm en schitterend, zolang je er niet doorheen kijkt.

Ik zie haar zwemmen, met rustige slagen, door die mengeling van licht en donker, spiegelbeeld en realiteit. Ze heeft geen make-up op, geen spatje. Ik zie haar meisjesgezicht, zoals zij jong en vol toekomstdromen is. Vanbinnen wordt ze nooit oud. Straks staat ze weer tussen de coulissen van Carré. Kijkend vanuit het donker naar het spotlicht op het podium, kijkend naar collega's van wie ze nog wat leren wil, wachtend op haar cue. Jeroen Krabbé zegt: 'Ze heeft alles overleefd en is nu echt in balans. Ze werkt, ze speelt en ze zingt en ze gaat nog ik weet niet wát allemaal doen.'

Maar of dat voor haar talloze kleinkinderen zal zijn, voor gehandicapten of ouderen, of voor het grote publiek avond aan avond, tournee na tournee...

'Ik leer eindelijk nee zeggen,' zegt ze, 'en dat de mensen misschien toch wel van me blijven houden, desondanks.'

'Ik denk het wel,' zeg ik. 'Ik zou me daar geen zorgen om maken.'

'Doe ik ook niet,' zegt ze. En met een vastberaden draai keert ze zich om en zwemt van me af, naar de overkant, te midden van een zee van licht.

Willeke met haar kleinzoon Finn

NAWOORD

Wat een klus is het geweest voor Belin, om *Een leven als een lied* te schrijven.

Ik wil als eerst Belinda en Thierry bedanken. Thierry, omdat hij maandenlang dag en nacht naar mijn stem en mijn verhalen heeft moeten luisteren. En Belinda, ik wist dat je goed was, maar je hebt me zo verrast met jouw manier van schrijven, je humor, en jouw oprechtheid. Chapeau!

Ik heb er weer een familie bij gekregen, waar ik mee kan lezen en schrijven, samen met jouw boys Yoshi en Robbert. Dank jullie wel. Het heeft me weer doen beseffen wat een goed leven ik heb gehad tot nu toe. Mijn grootste verdriet is het verlies van mijn ouders geweest. Verder ben ik van veel leed bespaard gebleven.

Ik heb drie prachtige kinderen: Daniëlle, Johnny en Kaj, twee lieve schoondochters Hannah en Shima, en al heel lang mijn schoon-zoon John waar ik heel blij mee ben.

Vier kleinkinderen: Davey, Estelle, Finn en Mila. Wat wil ik nog meer?

Alleen gezond blijven: dat is mijn grootste wens, dat ik zolang ik leef kan blijven werken en genieten van mensen, zoals de Verbrugges, Kuipers, Oonkies, De Mollen, De Lerby's, De Lapjes, Van 't Schippies, De Teysens, De Wallettjes, De Krabbeetjes, De Molenaars, De Mandersen, De Genemansen.

En van Tonny en Marla, Marijke, Carola en Louis, Adrie en Ronald, Bart en Ivy en Anneke, Joke, Goos en Ine, Dinie en Niels, Hans, Suusje, Hansje en Anja, Josje en Sandra, Anita, Andre, Monique en René, Jacqueline, Nicolas, Robin, Lisa, Paul en Daphne, René en Erik, familie De Nijs, Carmen, Shelley, Edwin, David, Robert en Willem.

De hele cast en productie van *De Jantjes*, Dorine, Hans en familie, Henk en Emeke, Henkie Tenkie en Ansie, Barbara en Oscar, Robert, Marcel, Patrick, Rein, Michael, Story Sound, Janno, Marjan, Martijn, Chrisje, Paul, Stefan, Tine en Evert, Wil, Arie en Martin, Cockie en Edje en familie, Joan en Johan, Hans en Ronald, Rick, Ricardo, Rob, Peter en Clara, Marcel en Eveline, Micky en Jennifer, Xander, Peter en Asia en kids, Sietse, Elske en Herre,

Hubert en José en kinderen, Co en Wilma, Hans en Marianne, Gerdy, Tine, Hans en Veronique, Co en Rob, Guus en Simone en familie, Fame Game, Carlijn, Bouke, Manon, Daphne, Dinand en Lucy en kinderen, Joop en Janine, Anne-Leen, Siny en Tonny, Jamai, Frits en Frits, Mark, Gordon, René en Natasja, Jeroen en Dany, Gerard en Wino, Marco en Leontien, Armando en familie, Ron en Yvon, Rick en Bobby, Harry en Els, Trea, familie Geraudy, familie Fronik, Ali B, Brechtje, Frank en Kleine Viezerik, Carla en Hans, Anne-Wil, Marion, Toos en Jes, familie Van Hemert, Anja en Erik, André en Martin, familie Ruis, Mary, Mies en familie, Riem, Ron en Jan, alle ome Jannen, Peter en Monique, Govert, Roy, Edwin, Tom, Jacques en Hans, Berber, Syl en Petra, Tineke en Astrid, Henk en Monica, Frans en Ference, Jules en Pleunie, Berna en familie, Bobby en Ron, Leco, Carolien, Iet, Nico en zijn team rm, Chantal en Marco en kinderen, Umberto en zijn team, Edsilia, Tjeerd en Trijntje, Rachel, André en Roxeanne, Carmen, Frank, Kate en kinderen, Udo en Hilla, Jean-Marie en Carmen, Wim, Syl en kinderen, Sjakie en Andrea en familie, Frits, Joke en Gerard, Khristoff, Christoff en Lindsay, Kris, Albert, Winston, Renate, Bram, Beau, Daphne, John, Jan, Nick, Simon, alle Jannen die ik ken, Arnold, Kees, Jaap, Jenny en Brigitte, Edwin en Monique, Anita, Mieke, Corry, de Conny's, de Ria's, Claudia en Jessica, Ruth, Humphrey, Dick en Marjolein, Hugh en Marian, Klingel. Edith en Sabine, Titus, Leo, Geert, Bartina en Ronald, Ellen, Bonnie, Dirk-Jan, Margriet en Maarten, Willy, Marco en Willeke, Marc, Barry, Addy, Cootje en Machiel, Raymond en Monique, Peter, Asia en kids, Eric, Rob, Frank en Astrid, Jacqueline, Bas. En alle dierbaren van mij die nu op een eersteklaswolkje een drankje drinken. Er zijn zo veel mensen van wie ik hou, dat het best kan dat ik nu iemand vergeten ben. Maar jullie zitten allemaal in mijn hart!

Willeke

DE LIEFDE VAN JE VRIENDEN

De liefde van je vrienden sleept je overal doorheen
De liefde van je vrienden helpt ook al heb je er maar een
De liefde van je vrienden maakt dat je nooit echt eenzaam bent
De liefde van je vrienden geeft je moed

Jullie zijn altijd dicht bij mij
Jullie zijn er altijd voor mij
Vertellen ook de waarheid
Hoe hard die soms kan zijn
Jullie hebben mij vaak verwend
En nemen mij zoals ik ben
Wat er ook gebeuren mag
Ik zal er altijd zijn

De liefde van je vrienden moet je koesteren dag en nacht
De liefde van je vrienden is er als je huilt en als je lacht
De liefde van je vrienden maakt je leven heel compleet
De liefde van je vrienden geeft je moed

(tekst en muziek: Peter van Asten)

Fotografen van betreffende foto's waren onder anderen:
Willy Alberti
Tonny Alberti
Roy Beusker
Rik Besselink
Mischa Muijlaert
Mario Nap
Peter Smulders
Edwin Smulders
Belinda Meuldijk
Daniël Kroll Fotografie

WILLEKE ALBERTI FOUNDATION

Willeke betrekt de mensen in haar muzikale wereld, praat met de mensen, en maakt ze aan het lachen, zodat ze alles even helemaal kunnen vergeten. De Willeke Alberti Foundation streeft ernaar om op termijn zo veel mogelijk zieke kinderen, senioren, zieken en minder validen in zo veel mogelijk ziekenhuizen of andere instellingen binnen de gezondheidszorg, te laten genieten van speciale kleinschalige optredens.

De optredens van Willeke Alberti zijn bedoeld voor langdurig lichamelijk zieken, lichamelijk en verstandelijk gehandicapten en ouderen die afhankelijk zijn van (intensieve) verpleging en verzorging. De Willeke Alberti Foundation organiseert een groot aantal speciale optredens in ziekenhuizen, bejaardencentra en verzorgingshuizen.

Willeke Alberti Foundation
E-mail: info@willekealberti.nl
Telefoon: 035-5388552
IBAN: NL26RABO0387226788

Willeke en Belinda